U0134831

# 茅埔成庄

## 東勢大茅埔客庄的過去與未來

陳介英 著
王志誠 主編

# 茅埔成庄

東勢大茅埔客庄的過去與未來

CONTENTS

# 茅埔成庄

東勢大茅埔客庄的過去與未來

CONTENTS

市長序

# 厚植臺中的在地文化

林佳龍

臺中位於臺灣南北交通的中點，氣候宜人，資源豐富，擁有良好的生活機能，更有優美的城市風景。多年來，我們積極活化市區，為市民打造一個生活的好所在，並且致力發展人文產業，為臺灣建立一座嶄新的文化城。

新臺灣國策智庫於2018年五月公布，臺中市是六都民眾心目中的最佳宜居城市，這是我們連續四次獲此殊榮，也是所有臺中市民努力的成果。除了推動城市建設，我們還要厚植在地文化，才能擁有豐富的精神生活，從「希望的臺中」邁向「進步的臺中」。

世界各地的重要城市都有自己的定位與特色，由文化局策畫出版的「臺中學」系列叢書，呈現出臺中市的獨特歷史脈絡和優質人文風貌，在2016年和2017年都受到文化界和學術界人士的關注與肯定。第一輯的主題包括臺中公園、林獻堂、葫蘆墩圳、清水及珍奶茶飲；第二輯的主題則有臺中火車站、第二市場、中央書局、天外天劇場及膠彩畫家林之助，充實的內容獲得各界的一致好評，引領讀者們深入認識臺中在地文化。

今年出版的「臺中學」第三輯，延續先前的嚴謹製作流程，特別邀請文史學者深入描寫楊肇嘉、八仙山、霧峰、客家聚落大茅埔、后里馬場以及和平區的原住民聚落，林景淵、蘇全正、蔡金鼎、管雅菁、林德俊、陳介英、林慶弧、郭双富、鄭安睎，透過充滿溫度的文字敘述和精采的圖示，帶領讀者穿越時光隧道，探索先人走過的痕跡，進而瞭解這些珍貴的歷史文化，如何造就出臺中現今的多元樣貌。

臺中人文薈萃，是名副其實的希望之城，也是富於文化底蘊的城市，建立在共生、共榮、共好的基礎上。讓我們透過閱讀的力量，把希望變成進行式，在追求進步的同時，也要珍惜自身擁有的文化資產，才能培養深厚的文化內涵，然後穩定地邁向新的階段，創造出人本、永續、活力的臺中。臺中的改變，會帶領臺灣的改變；臺中的進步，也會帶來臺灣的進步。

局長序

# 擁有豐富內涵的城市

王春城

臺中曾經是臺灣省城的所在地，其重要性不言可喻。臺中市的山、海、屯、城區開發，是一部生動的庶民墾荒史，值得我們深入研究，瞭解這塊土地的身世背景，才能產生情感連結，進而強化自我認同。

近年來，臺中市政府積極建構「臺中學」，讓社會大眾從自然、人文、歷史、地理等多方面的角度，廣泛認識這個擁有豐富文化內涵的城市。每一輯「臺中學」叢書皆是由專業的文史工作者執筆，選取能夠彰顯臺中特色的地景、人物和題材，呈現這座城市的不同風貌。透過這套書的內容，我們可以重溫百年來的城市風華，見證古時的純樸生活，檢視現在的繁榮進步，由此鑑往知來，讓臺中人更加珍惜自己擁有的一切。

延續第一輯與第二輯的內容規劃，第三輯「臺中學」選取臺中社運家楊肇嘉作為指標人物，由歷史學者蘇全正和林景淵執筆，《劍膽琴心：跨越兩個時代的六然居士楊肇嘉》介紹這位來自清水的仕紳如何投入民族運動、倡導地方自治。霧峰舊名「阿罩霧」，擁有美好的田園景致和優雅的藝文空間，作家林德俊（小熊老師）在《霧繞罩峰：阿罩霧的時光綠廊》詳述自己的老家如何成為引人入勝的文化小城。

為了讓「臺中學」的研究擴及大臺中全區域，我們前進后里，探索后里馬場的建設經過與經營特色，由修平科技大學副教授林慶弧、臺灣文史學者郭双富寫成《奔騰年代：牧馬中樞的后里馬場》。八仙山是中部推廣森林環境教育的重要基地之一，《千面八面：八仙山的百年樣貌》作者蔡金鼎、管雅菁從事社區營造工作多年，書寫臺灣林業經濟發展的興衰，以及當地人士造林、育林的生活轉變，其中蘊含幾代人的共同回憶。

逢甲大學陳介英教授擅長經濟社會與文化發展的研究，《茅埔成庄：東勢大茅埔客庄的過去與未來》呈現出客家庄的傳統生活，包括族群的衝突與融合，也讓我們看到大茅埔的蛻變。和平區是臺中市轄域內唯一的直轄市山地原住民區，日治時期屬於臺中州東勢郡蕃地，縣市合併前為臺中縣和平鄉，臺中教育大學鄭安睎老師所寫的《願社平和：和平鄉原住民聚落》帶領我們瞭解泰雅族人在此地的生活樣貌。

「臺中學」系列叢書問世之後，屢屢榮獲文化部、國史館的獎勵推薦，2018年更獲得金鼎獎優良出版品推薦，以及讀者們的多方肯定。我們希望透過「臺中學」系列，將臺中在地的各種人文薈萃知識進行交流，共同發掘這個城市的美好故事，並讓它們永續傳承下去。

# 前言 Foreword

## 大茅埔百年來的風華興替

在往谷關的中橫公路上，有一個自客家先民開墾以來的村落，雖是不起眼的小村莊，卻是自清代道光時期建庄以來，已存在快兩百年的客家聚落，至今仍然保留著建庄時居住空間的格局，雖然中間陸續歷經了日治時期與民國等時代的替換，卻都沒有造成太大的變化，值得我們重視並善加維護。大茅埔庄有著臺灣最小規模的環庄護城河、嚴密防衛設計及隘門，空間格局上的另一個特色是有條貫穿村庄中央且橫向對稱與棋盤式規劃的道路，其中央道路軸線的起點是背山面溪的一座雄偉宮廟，這個特別的村落，至今仍屹立在大甲溪旁美麗的青山綠水之間。

大茅埔庄不僅是客家先民生命智慧匯聚之地，也是臺灣客家先民不畏艱難、團結持家與族群融合的縮影，從早期的荒地墾植、闢成良田之後的勤勞耕種和與原住民的互動及衝突，到民國 60 年代（1970 年代）後的從米到果——多樣水果轉種，還有經歷民國 88 年（1999 年）921 地震的考驗，加上越來越多新住民的加入，以及人口老化等議題所產生的改變，都可以讓我們看到一個古老的村落，如何堅守傳統，並不斷順應自然與人文環境的變遷而有所轉變。

大茅埔寶貴的經歷，值得大家認識，自廣東大埔縣客家先民渡海到臺灣，歷經一百多年後，在客家文化傳統及生命的承續與開展中，所凝聚出的生活智慧與成就。

# 第一章 Chapter 1

# 聚衆墾闢：大茅埔村落的形成

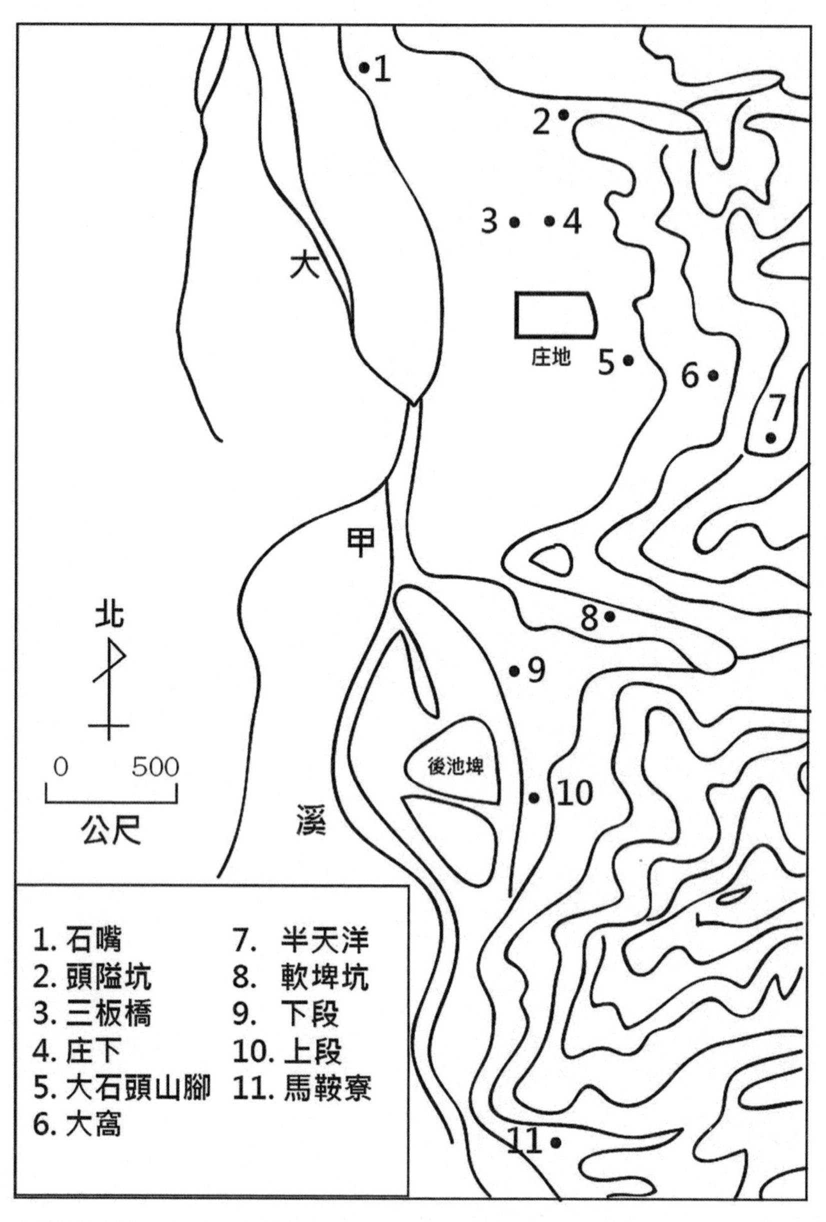


大茅埔地方地名的分布，引自池永歆，《空間、地方與鄉土：大茅埔地方的構成及其聚落的空間性》，臺北：國立臺灣師範大學地理學系博士論文，2000 年，頁 246。

大茅埔的開墾可以說是移民來臺灣的客家先民結合慧見、勇氣與汗水的成果。雖然到了嘉慶21年（1816年），已有人開始在大茅埔進行墾植，直到張寧壽先生招募二十八股資金後，經由縝密的籌劃，結合風水與水利專家的智慧，才將具有嚴密防禦格局與順應風水原理的村庄，建成在環山

由新社眺望大茅埔屋背山。（陳介英／提供）

面河的寶地上。從大茅埔的開墾歷史，我們不但可以看到漢人在臺灣奮力開墾，以及與原住民在文化及生活空間碰撞、推移的軌跡，也可以看到客家先民，在生存發展上所展現的智慧與相互團結順應環境變化的能耐。

## 從界內逐漸往界外的遷移

大茅埔位於大甲溪中游，處大甲溪在接觸平地前的北流河川谷地，其所在的地理空間，西邊以大甲溪、南邊以猛虎跳墻（現慶福里）、北邊以頭隘坑（現新盛里）為界，地形主要以縱谷和丘陵地為主，大茅埔庄可以說是清朝以來，客家人在東勢地區墾植，最接近原住民生活區域的村落。

說到大茅埔的開發歷史，就必須先從漢人自清朝以來，對於臺灣土地墾植拓展方式談起。從康熙61年（1722年）以後，清朝在臺灣西部山嶺一帶，就常以「立石為界」的方式，來禁止漢人隨意侵入原住民的生活領域，以免造成漢人與原住民的衝突殺戮事件，但漢人往界外墾植的行動，基本

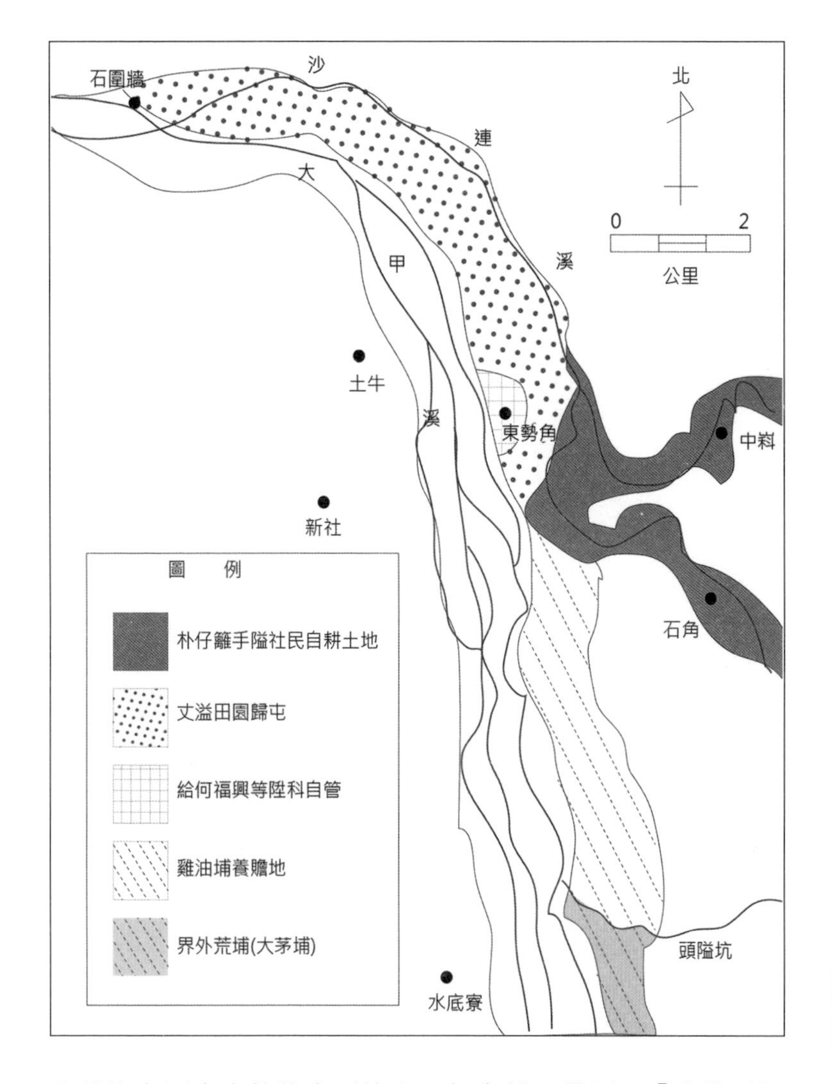


設屯後東勢角縱谷地權空間分布圖。引自池永歆，《空間、地方與鄉土：大茅埔地方的構成及其聚落的空間性》，臺北：國立臺灣師範大學地理學系博士論文，2000年，頁41。

上並沒有因官方的約束而停止。如東勢一帶原是「山險而深峻」的地區，一直以來就是原住民的生活空間，隨著岸裡等社於康熙54年（1715年）的歸化（接受清朝統治），使得

**歸化**

據《諸羅縣志》載乾隆五十四年（1789年），有五個番社歸附清朝政府，分別是岸裡社、掃社、烏牛難社、阿里史社、樸仔籬社。

岸裡、朴子籬、掃捒、烏牛欄、阿里史等五社所在地，成為界內空間。

到了康熙時期，漢人在中部地區墾植活動，已漸漸推進到朴子籬社東邊（現臺中市石岡區）一帶，儘管到了乾隆 26 年（1761 年），為防範漢人過度的越界私墾，於現東勢土牛國小的地方立了碑，禁止漢人越界墾植，如碑上即刻著：「永禁人民逾越私墾」。但隨著清朝養贍埔地政策的出現與為籌措造船、修船之木料，而在東勢角一帶設置軍工匠寮後，使得位於土牛界碑以東的大甲溪河谷地，甚至到東勢角一帶（現臺中市東勢區）的雞油埔與大茅埔（現慶東里）範圍，逐漸變成漢人開墾與定居之地。

至於養贍地政策的由來，大約是起於乾隆 53 年（1788 年），閩浙總督福康安等人，有鑑於臺灣對於清朝而言是屬邊疆區域，故建議朝廷把界外未墾荒埔地，撥為在臺屯丁的養贍地；在此政策下，也使得東勢地區原以土牛溝為界的漢番空間區隔，逐漸被突破，當時土牛溝（位於臨近東勢區的

**雞油埔**

是指頭社、二社、尾社、番社、新伯公、上城及下城一帶，大約是現在新盛里至上城及下城里所在地區。平埔社民預收水田租谷，而將田地交與漢人長期管耕的情形，在雞油埔相當普遍。

**養贍埔地**

將未墾荒埔以「近者給地自種，遠者招佃承耕」的辦理原則，分撥給屯丁以資贍養的地，即稱之為養贍埔地。

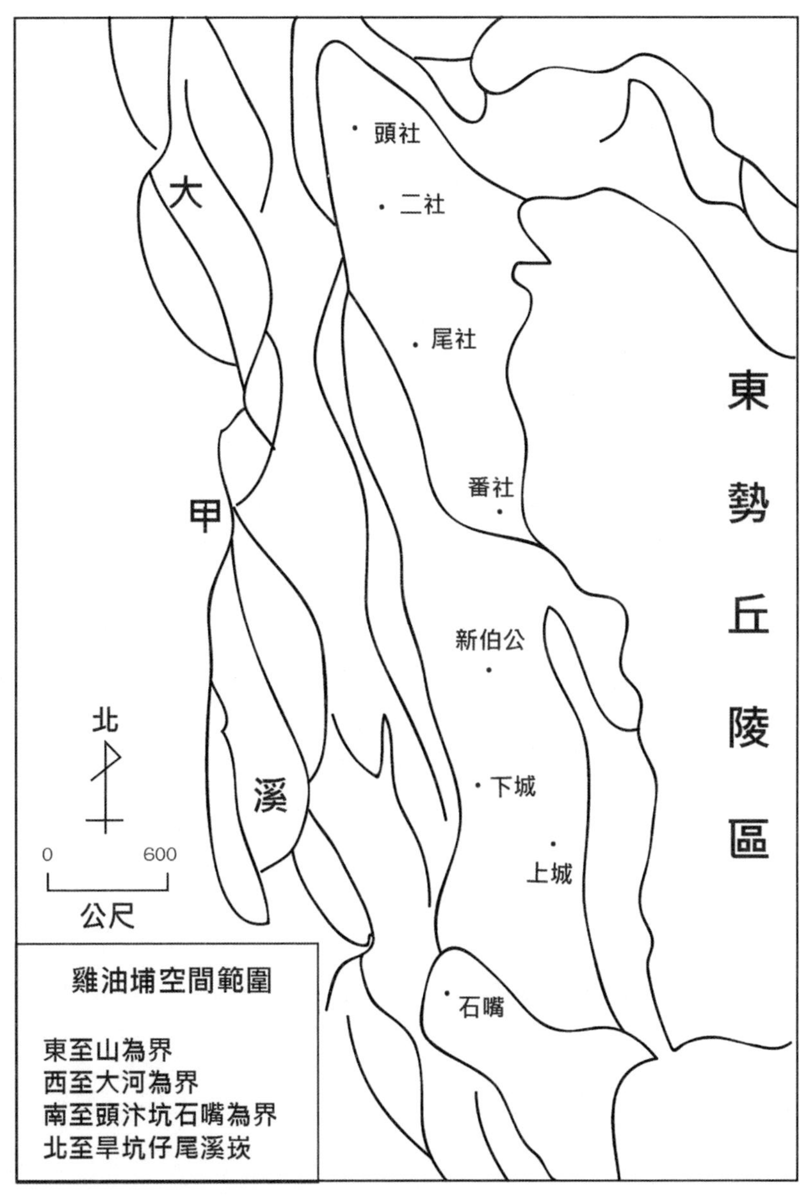


雞油埔的空間範圍及其聚落分布。引自池永歆，《空間、地方與鄉土：大茅埔地方的構成及其聚落的空間性》，臺北：國立臺灣師範大學地理學系博士論文，2000 年，頁 46。

石崗區）以東的東勢角與罩蘭地區，約四百多甲的荒埔地，就被列為養贍地，撥給北路千總一員，把總一員、外委一員與八個番社共四百名的屯丁。

其實這些被充作養贍埔地的區域，原來是一些屬於土牛溝以東的未墾荒埔，與已墾但因罪而被官府沒收的荒埔，此地區原是禁止漢人越界開墾，因它是屬熟番（平埔族）可自由打牲、耕種的生活空間，但經由養贍埔地政策，因而提供了漢人往界外墾植時，可被官方認可的合法空間。因為養贍埔地的墾植，通常是由土地擁有者（平埔族，當時被稱為熟番）租給漢人開墾，而由漢人代為繳納政府規定的租稅，與給予部分的收成穀物作為已開墾田地之租金。

到了乾隆 53 年（1788 年），清朝廷決定要在臺灣設置兵屯墾區，經由對土牛界碑外之「已墾」、「未墾」、「民墾」和「番墾」等土地使用狀況的清查，使得位於土牛碑界外的東勢角（現東勢街區）、雞油埔等處的地權歸屬，逐漸被釐定；如到乾隆 55 年（1790 年），雞油埔即被劃歸為養贍埔地，

**熟番**

本文所稱之「熟番」、「生番」、「番害」，並無任何族群歧視的意涵，而是將其置回古文書的文本而稱之。在清朝官方的用語中，熟番、化番與生番，各具有其法律上的意義：「熟番」指的是歸化已久，並有納餉給官方的原住民；「化番」則是剛歸化，有時納餉、有時不納的原住民。「熟番」、「化番」皆為清朝子民。「生番」則是不納餉的原住民，非清朝子民。

故可於古文書上見到如此的記載：「雞油埔成為朴仔籬社之大馬僯社（大痲僯社）及其分社拍打竿社（片社）、阿都罕社的養贍地。」。

回顧歷史，我們可以清楚看到，直至雞油埔被歸為養贍埔地，位於其南邊的大茅埔在彼時仍然是一片未開墾的荒埔。

## 大茅埔成爲養贍地

大茅埔在地理上，一方面依靠著東勢丘陵，另一方面緊臨著大甲溪，是屬於經由自然力，在數萬年間型塑而成的河谷平原，擁有適宜農耕的生態環境，沿著大甲溪谷地的東勢丘陵區，海拔約在六百公尺以下，屬副熱帶雨林區，年雨量大約 1,500 ～ 2,500 公厘，因此大茅埔的氣候溫暖濕潤，適於栽種作物。

大茅埔在漢人入墾之前，原也是官方撥給屯丁的養贍地，養贍地的本意是使屯丁有被官府所賦予的固定生養處所，但對屯丁來說，養贍地的取得，只是一種形式上的土地擁有權，因為在其實際的運作上，反而給予對土地開墾充滿經驗與渴望的漢人，得以在這種養贍埔地政策下，合法承租與開墾原先是漢人禁土的罩油埔，與當時仍被列為界外荒埔的大茅埔。

因此，我們會看到隨著屯丁養贍埔地政策的執行，使得臺灣中部大甲溪一帶，原作為漢人與原住民、土地開墾界線的土牛溝以東的地區，逐漸成為界內之地；而漢人和原住民的界線，也漸漸為設在山林深處有社丁把守的隘寮取代，以防止原住民與漢人的衝突。如到了乾隆55年（1790年）之後，用以區隔界內與界外的隘寮，已推進到罩油埔南端與大茅埔毗鄰的頭隘坑附近。事實上，隨著漢人日漸朝山區墾植，漢人與原住民的衝突更為加劇，故其間的地理分隔線，就逐漸被以武力為後盾的隘寮所取代，此種防禦措施的設置地，成為新的區隔界內與界外空間，並以武力為基礎的族群界線。

其實一直到嘉慶21年（1816年），大茅埔一帶仍是大甲溪旁一個茅草遍地的荒埔空間，後來才經由一些具有管理屯田

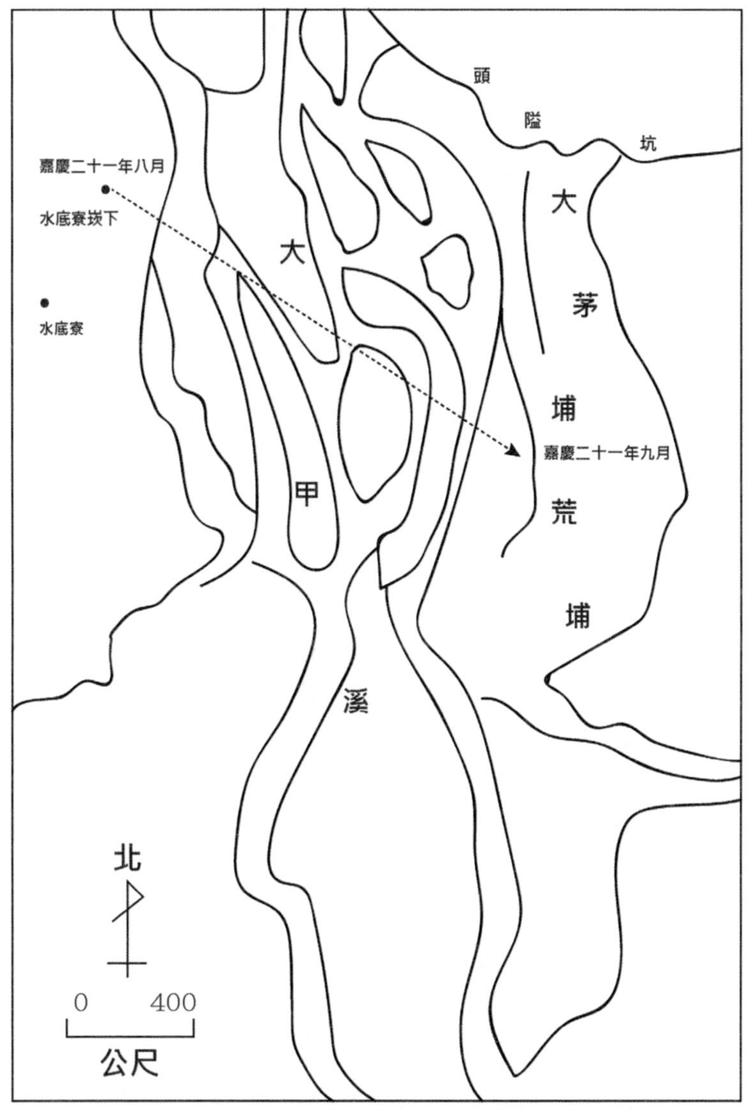


**劉中立於水底寮崁下與大茅埔拓墾活動路線**

大茅埔地方隘埔的空間分布。引自池永歆，《空間、地方與鄉土：大茅埔地方的構成及其聚落的空間性》，臺北：國立臺灣師範大學地理學系博士論文，2000 年，頁 78。

身份的人，在取得官府同意之後，加以開墾。從大茅埔地方的開墾歷史，我們可以清楚看到漢人對原為平埔族所有之土地，從承租開墾，到後來其土地所有權轉為漢人所有的過程。「大茅埔」的此一地名，是一個統稱，其在早期所包括的空間範圍，涵蓋著大茅埔和位於其南邊，以軟埤坑溪相隔的猛虎跳牆兩處，現今這兩個地方分屬慶東與慶福兩里。

據說大茅埔一帶被設為隘田，其過程主要可分為兩個階段：第一階段應是乾隆55年（1790年）雞油埔歸為養贍地後，因臨近泰雅族活動空間，管理屯田的人為防泰雅族侵擾，就向官府申請設置隘寮；而設置隘寮需有防衛兵丁費用的來源，故官府就將大茅埔與雞油埔毗鄰的一些埔地，劃撥為隘埔，用以提供隘丁的口糧；第二階段則是在嘉慶年間，管理屯田的人申請開墾大茅埔荒埔時，由於大茅埔更逼近泰雅族出入地區，需要設置新的隘寮以防番人的襲擊，因此官府就將猛虎跳牆埔地劃為隘埔，以作為提供隘丁糧食的土地。

## 二十八股的聚資開墾

有關大茅埔的開墾，最早的文字記錄是出現在嘉慶 21 年（1816 年），從古文書的資料可見到主要有由高君弼和劉中立為首，所帶領的招股開墾行動；其中高君弼、邱進德等人，在此年共同向擁有大茅埔地權的屯田管理人承租開墾大茅埔，同年九月，劉中立也籌集資金要開墾大茅埔。從劉中立合夥二十餘人所共同立下的開墾契約中，就提及水底寮崁下與大茅埔附近，在當時均為未經墾闢的荒埔空間。

因此，就大茅埔的開發而言，也大約是從此時開始，客家先民才有比較大的開墾行動。在初期的開墾階段，劉中立等人的十四大股墾闢計畫，有較為詳細的記載。如合約上即顯示出有如此的安排：分為十四大股，每股再分為十份，一份銀二元，共籌有股金八十元作為公費，社丁是乾股不出錢但要出力，且文書上也有載明，最後每人擁有多少土地，是依照所開墾完成地的多寡來加以分配。

到了嘉慶21年（1816年），從古文書資料才可見到分別有高君弼與劉中立兩組人試圖對大茅埔進行開墾，但其結果如何，並沒有文獻的記載。而在這個時期，除了客籍漢人的開墾記錄之外，朴子籬社部落的平埔族人，也在頭隘坑的石嘴附近有墾植的契約文書記錄；但這些片段的資料都難以窺其全貌，一直要到張寧壽招募二十八股股民來此開墾，大茅埔荒地才真正進入全面性與具規劃性的開墾，最終在此荒地上建立了如今風華依舊，具嚴密防衛及密集灌溉格局的大茅埔庄。

從歷史文獻資料可以看到，當時大茅埔得以有計劃性的大規模開墾，應是在官府的同意下所進行的，由於官府的屯田政策，使得漢人在東勢一帶的開墾很快地向更深處山區推進。如嘉慶21年（1816年）8月，劉中立等二十二股所立的開墾水底寮和大茅埔的合約中，就提到大茅埔是由屯田的管理者向官府「稟請在案」後，由官府將大茅埔撥為屯丁、屯弁所承管之土地。

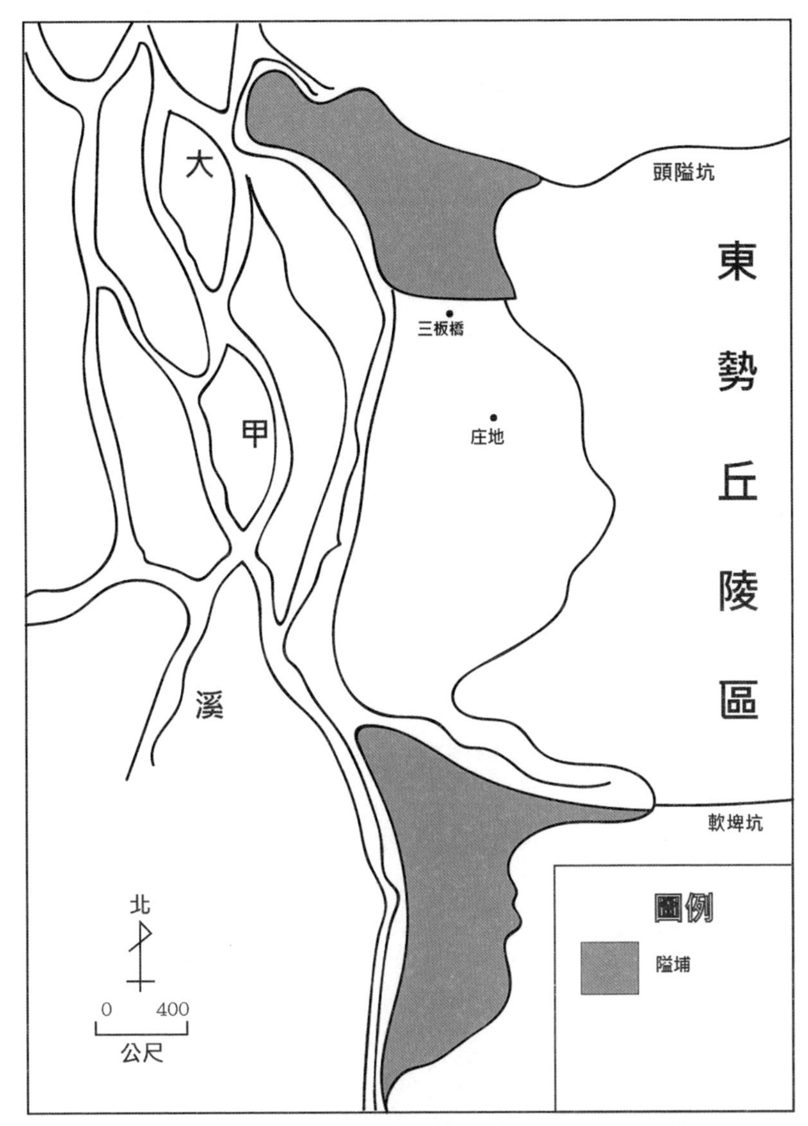


**大茅埔地方隘埔的空間分布**

劉中立於水底寮崁下興大茅埔拓墾活動的路線。引自池永歆，《空間、地方與鄉土：大茅埔地方的構成及其聚落的空間性》，臺北：國立臺灣師範大學地理學系博士論文，2000 年，頁 67。

從古文書上的資料可看到，大茅埔是由大罵僯與片社（即拍打竿社）負責管理的土地，有人推想張寧壽所領導的二十八股拓墾組織，為取得開墾大茅埔的合法資格，應當是先與該二社訂立承租墾植的契約，之後再取得拓墾大茅埔土地的官方認可，因此張壽寧才會擁有官府給予的「理番分府給大茅埔墾佃首張寧壽戳記」字樣的印章。

張寧壽對大茅埔的開墾，和當時許多荒地墾植的例子一樣，屬於揪股租地墾植。由他作為墾首到豐原、員林一帶募集股東共二十八股，其中主要的參與者有張、邱、羅、陳、劉、許、鄧、徐等姓屯民 50 餘人，這些客家先民就在張寧壽的規劃與帶領下，一起到大茅埔開墾，只是其組成的確切年份並不清楚。

在道光元年（1821 年）的文書中，已有股人頂換的紀錄，可見此時二十八股的開墾工作，應已開展多年。然而可能因為缺乏足夠水源，開墾進行得並不順利，取水不易應是大茅埔開墾長期以來所面臨的最大問題，因此，從道光 2 年（1822

年）的一份合約中可清楚看到，張寧壽等人在大茅埔的開墾上，也投注相當資金請人開鑿水圳，以克服大茅埔長期面臨的開墾難題。如合約中即載明張寧壽等墾佃以每一大股貼利谷 7 石，總共 196 石貼易庚麟等伙食租谷，也就是開圳基金。在水圳開成之後的租谷分配也有明確的約定，分別是每甲納業主番大租二石六斗，雇請把守隘寮與修理陴圳的丁勇一石四斗，其餘四石供易庚麟等收鑿壠開圳的費用。

此張古文書對於我們在了解大茅埔聚落的開發過程，具有重要的意義，因為從文書中可見到道光 2 年（1822 年）10

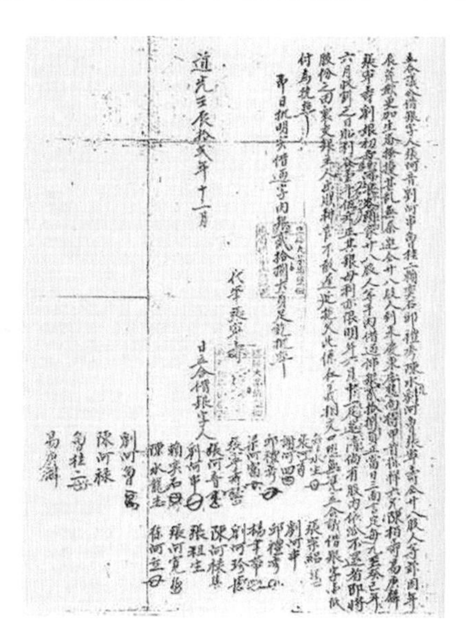
道光壬辰拾貳年十一月

道光 12 年，二十八股人借字銀。引自溫振華，《大茅埔開發史》，臺中：臺中縣立文化中心，1999 年，頁 72，（陳介英／翻拍）。

月時，大茅埔已建庄，且張寧壽已擔任墾佃首，組成二十八股開墾大茅埔。合約中有文字提到：「耕種日久，埔園貧瘠，五谷失收」的契文，說明了此地因缺乏充足水源，故之前的開墾應僅能墾成埔園而非稻田，在這張合約文書中，也可發現張寧壽聘請易庚麟、羅俊萬合夥「架陂鑿隴開圳」，是大茅埔得以開墾成水田的重要因素。二十八股中，每股出 7 石，共計 196 石交予陂長易庚麟等去開鑿水圳。

在水圳興築過程中，因地近泰雅族南勢群捎來社，所以還由大家共同出資僱鄉勇四名負責防衛直到水圳開通。水圳修築完成後，承租土地耕種的人每年要繳納每甲 8 石的租穀，其中包括給土地擁有者大馬僯眾社大租 2.6 石，隘勇 1.4 石，陂長易庚麟等 4 石。

為維持水圳之暢通，陂長要設圳夥一人負責巡視水圳，一旦水圳被沖壞，陂長要負責僱工修理，二十八股股民也要協同幫忙，不出來幫忙工作者就會被削減供水量，由這張契約文書，可以看到它把慶東庄的水源維護與工作分配及水份

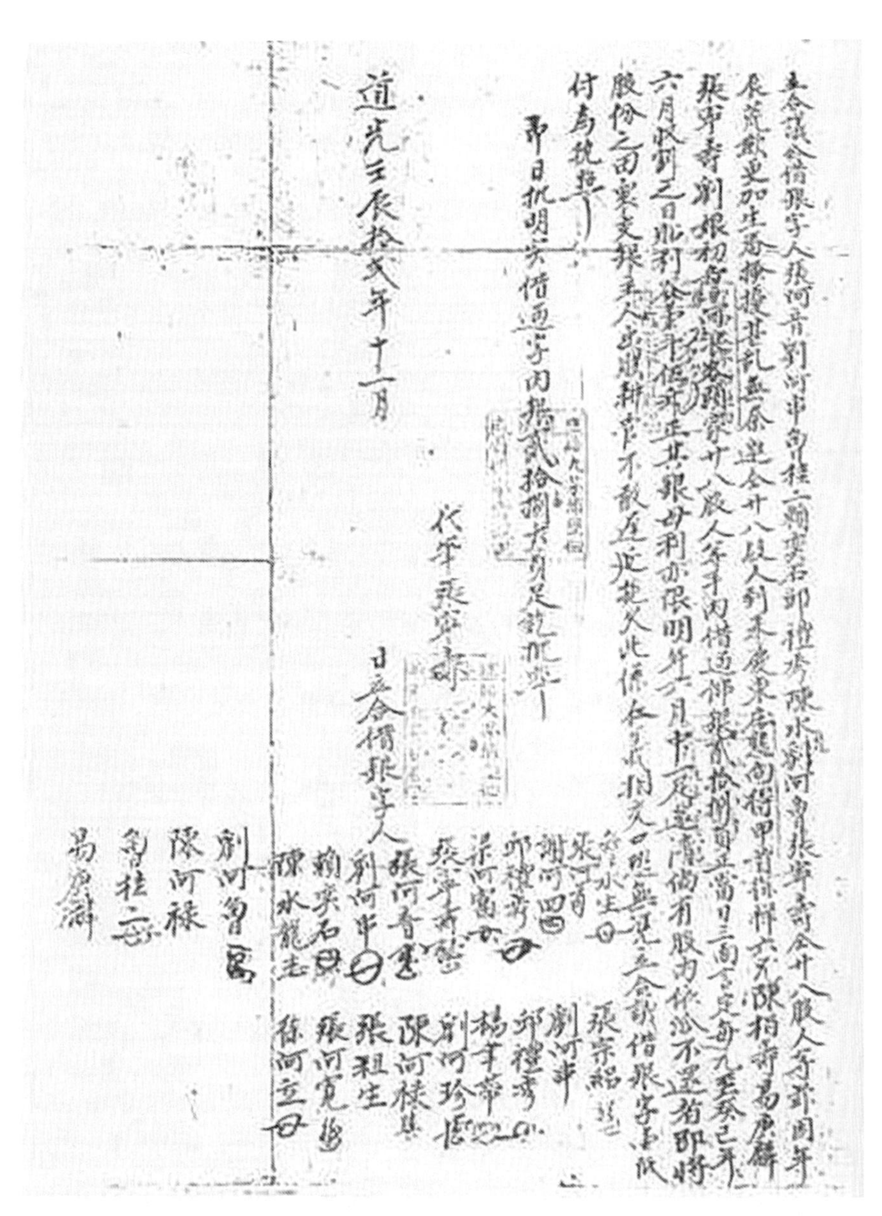

道光 12 年，二十八股人借字銀。引自温振華，《大茅埔開發史》，臺中：臺中縣立文化中心，1999 年，頁 72，（陳介英／翻拍）。

額的供給，作了詳盡的劃分，確保有充足水源可以灌溉，以保障農作物的收成。

從道光 12 年（1832 年）12 月，一張有關張寧壽的借款合約文書，我們可以多少了解張寧壽先生，在大茅埔開墾所面臨來自各方的沉重負擔，如文書中即提到因「年辰荒歉，更加生番騷擾甚亂」，導致開墾之艱辛，在缺乏公費的情況下，因此向股內財力較富的人借錢。另外，從借據文書中羅列的二十八股人，與前面的合約文書比對下，發現二十八股人名字相同者僅有張寧壽、易庚麟、賴奕石，因此有人推測，這其中雖然有可能是因父子相傳者而更名，但因為立約時間前後相差僅十年，此類變化者應有限，比較可能的，應是股權轉讓所造成，故以此兩份契約文書來看，多少可顯示出墾闢大茅埔合夥成員，其實也存在著不小的變動。

根據有限古文書所顯現的資訊，我們大致可確定大茅埔即是在這二十八股資金的基礎上，與張寧壽墾佃首的努力下，一面開墾一面建庄，雖然當時對於荒埔與庄地的開墾也有不少是事先規劃，如在新社區的水底寮，以及雞油埔之上城、下城，均看到類似的情形，但以棋盤式進行街道規劃，且有著穩坐在中央位置的神廟與城隍爺的俸祀，和有護庄河及環庄防衛設施的村落，大茅埔應是唯一一個。

## 巷道整齊防禦規劃嚴密的大甲溪邊村落

大茅埔庄在墾首張寧壽的領導下有詳細巷道規劃，庄內道路、庄外田地井然有序，但由於投資水圳的興築，耗費甚大，從遺留的古文書可以見到，他曾有以抵押租谷去借貸的情形。我們從目前大茅埔庄（慶東里）的地圖中，可看見村庄內至今依舊的棋盤式巷道，正中是東西向的中央道路即今慶東街，該街兩側街各有五條南北平行巷道，每條巷道約住三戶夥房。

據說以前庄外四周種滿刺竹，刺竹內圍有一條護庄溝渠，之後是一丈八尺的崗路，由壯丁巡視守衛，庄內並設有三處槍庫，以囤積彈藥，竹叢內建立多處瞭望臺，全庄有相

空拍慶東里街庄。（林俐均／攝）

大茅埔隘門銃孔現已不在，圖為下城月恆門的銃孔示意圖，《大茅埔開發史》，臺中：臺中縣立文化中心，1999，頁53。（陳介英／翻拍）

當嚴密的防禦設施，庄內外的出入主要有設有三個隘門，在慶東街入口設有西隘門，第四巷的南端設有南隘門，第三巷的末端設有一較小的隘門，這些隘門上方設有銃孔以作為防衛之用。

大茅埔庄內家宅地與巷道都是事先規畫好，然後在土地開墾好之後，再以鬮分方式分配宅地，據說當時庄中巷道的空間分布，是有其風水學上的考量。這些巷道以位居龍穴的泰興宮作為中央道路的起點，由東（靠屋背山）向西（臨大甲溪），建置了一條東西向的主巷道慶東街，區分庄內南、北兩個空間，位於中央慶東街的南北兩側，各有五條巷道，將整個庄地空間區分為十大塊，每一塊地的南北長約為一百公尺，東西寬為三十公尺，約可建坐東朝西的夥房三座，因而整個庄地空間共建有三十座夥房。

這些夥房正廳的座向，在建庄時全部都是坐東朝西，與泰興宮中軸同一方向，如此安排，主要應是順應著風水觀念而來，由於泰興宮被視為龍穴所在，故可將其龍脈的分脈，延伸至各個厝宅正廳。然而，隨著地權的轉移，聚落空間持續往四周擴張與厝宅的增建，如今住宅的座向就較為多樣。

關於大茅埔在開墾完成後的住屋位置分配，我們在一份有關「鬮分屋地基」的古文書中，可大致看到一些安排，如在文書中即記載著以下幾點：

一、大茅埔的住宅空間，依股份而分；

二、每股住宅土地面積有六分大；

三、均為坐東朝西的住宅，前後與事先規劃好的巷道為界；

四、為表示公平，每股的住宅土地，以鬮分方式加以分配；

五、鬮定住宅土地後，任其所有者前去營建住宅；

六、鬮定屋地時，還需要有該地權空間所有者，即業主大馬僯社的土目在場。

因此有「大馬僯社土目孝希四老圖記」字樣的戳記，出現在此鬮定屋地基的古文書上，我們從中可以見到，客家先賢張寧壽先生，經由持平理性的方式，對於厝宅地空間加以規劃與分配，使得大茅埔地方的聚落空間，得以井然有序，呈現出棋盤式的空間格局。

透過前人所遺留的眾多文獻資料整理，可以看到傳統漢人的風水觀，不但對於大茅埔庄在聚落空間選擇有明顯的影響，且也滲入到聚落內部巷道的規劃中，如此使大茅埔庄成為一個少見的，先經空間規劃，再加以營建的客家移墾聚落。

其中略引人疑惑的是，聚落創建時的巷道規劃，既然是採棋盤式規劃，但為何慶東街以南的庄地巷道是作筆直規劃；

而以北庄地巷道，則採略顯曲折的建置？會有此種南直北曲的巷道規劃現象，據當地流傳的說法是：當初建庄時，就考慮到巷道不宜直瀉，如此厝宅的居存者才能聚財；此外，彎曲的巷道也有助於整個聚落的防禦作用，因為當有盜賊闖入或泰雅族入侵庄內時，彎曲的巷道被視為可較有阻擾侵入者的作用。因此，可能是出於風水與防禦需要上的考慮，才會出現慶東街南邊的巷道，由南往北銜接慶東街時，均成直線整齊劃一，而慶東街以北的巷道，則略做彎曲的現象出現。非常難得的是，雖然大茅埔庄已建立近二百年，但其村落這種具棋盤式巷道安排的獨特空間格局，至今仍未有太大個改變。

# 第二章 Chapter 2

## 鑿建良田：開鑿水圳建築良田

客家人進入東勢河谷平原（包括東勢角、校栗埔、新伯公、上城、下城與大茅埔等）開墾的時間，大約是從乾隆末葉至道光年間（1750 ～ 1840 年），值得我們注意的是，從東勢角到大茅埔一帶，到了清朝末年，這個地區總共興築了三條水圳，來灌溉當地的田園，依當地人的回憶，其開鑿的先後，大致依序為老圳、本圳（也稱新圳）與大茅埔圳。

漢人當年（1816 年）入臺開墾田園時，其水圳興築的規模，往往會隨著土地拓墾的進展，而逐漸擴大，位於東勢區到大茅埔一帶的上述三條灌溉水圳的水源，在初始階段僅部分依賴大甲溪的水源，直至今日，主要皆為仰賴大甲溪的水源；由於這三條水圳的圳道都穿越了大茅埔地區，故大茅埔可以說是東勢一帶灌溉水源最密集的地方，同時我們也看到，大甲溪可說是哺育東勢河谷平原空間的母親之河。

這三條水圳灌溉的區域各有不同，老圳灌溉的範圍，主要是新伯公、上城與下城一帶的農田（原稱雞油埔的地區），以及一部份的大茅埔田園；本圳灌溉的範圍，則是東勢角到校栗埔一帶；大茅埔圳灌溉的範圍，則主要是在大茅埔一帶的田園。自從國民政府在大甲溪上游建築水庫之後，現在東勢這三條圳道的取水口，皆位於大甲溪畔的後池埤。

在清領時期，這三條水圳的取水口與現在不同，據當地人回憶，原先本圳（即新圳）的取水口位於大茅埔庄附近的大甲溪，在增築後取水口改在新伯公附近；老圳則從下段（大約在現在慶福里）附近的大甲溪取水；而最後開鑿，也是地勢最高的大茅埔圳，則有三個源頭，建圳初期，主要是引庄後龍背山的山泉水與軟埤坑的澗水，後來，為求得更多的水源，又增加了引自馬鞍龍（或馬鞍寮）附近的大甲溪水。

## 老圳與新圳（本圳）的開鑿

流經大茅埔的三條水圳中，老圳雖然被稱為老圳，但有關其開鑿情形的資料相當有限，有人認為老圳位於本圳與大茅埔圳之間，是在乾隆 45 年（1780 年），由熟番阿馬觀生及孝希四老自大茅埔庄引水而成，但此時大茅埔圳並未開鑿，軟埤坑水也尚未被引到大茅埔，因此我們若以老圳灌溉區域來看，其開鑿的時間應會和東勢角與中嵙和石角的開墾時期較為接近，故時間上應和以灌溉東勢角及石城等地為主的新圳（本圳）開鑿時期，相差不會太大。老圳位於大茅埔圳和新圳（本圳）之間，主要灌溉雞油埔一帶，大茅埔地勢較低的田地，也有部分使用老圳的水灌溉，而大茅埔圳開成後，其水流經村庄再匯入老圳。

古文書中少有提及老圳的相關記載，現知最早的是在嘉慶 9 年（1803 年）正月，東勢角社番總土目馬下六烏郎、阿多罕郡乃那烏與甲頭潘學文馬下六、白番郡乃阿沐阿馬轄等，與庄民林時猷、蘇乾萬、吳龍生、劉金秀、張孟新、謝思賡所訂的合約有提到：

東勢角原有民番舊築陴圳一座（老圳），照汴分流灌溉番民田業，祇因舊陂深入內山，常被生番破挖，若遇農忙，即拼命整理，水亦有缺，以致田禾失收，課命兩懸，番民均為受慘。是以相議量度地勢，鳩集另開新圳一條（本圳），透合舊圳接濟通流，以助不足。

然而新圳（本圳）的開鑿除了要經過番田，有的番田地勢在新圳之上，灌溉上恐有困難。因此社番懷疑東勢角與石城一帶庄民會棄舊圳而不合力修築，使得番田有缺水疑慮，於是民番和議，訂立了以下規條，分別為：

一、圳道所通過的番田，每甲每年供納大小租粟十六石。

二、新舊兩處埤圳為民番共築，每年共同修理，陂匠工作所應支付穀物照舊有方式分派。

三、修築陴圳時社番照舊規同往護衛。

四、民田、番田各有定界，不得藉各種理由侵佔。

五、對於盜水者會報官府懲罰。

六、原約定新圳在番田內圳底、圳面一丈寬，若日後因被水衝擊而擴大，必須丈量清楚增加租穀。

七、新陂圳的開鑿費用為庄眾所共同出資，民番永遠照舊的田界址用水。

八、民番每年演戲，社番至演戲日期要交清原先約定的要幫忙出演戲的錢四千五百文，折佛銀五元。

新圳（本圳）的開鑿還有一個傳說，指出在乾隆年間，東勢地區居民飲水是使用「山坑水」，遇天旱即無水可飲，於是計畫從大甲溪馬鞍寮一帶，開闢一條水圳到石圍牆（今石城），故劉文進（啟成）即派劉中立與捎來社頭目達成協議，共同開闢新圳（本圳），完成後共同使用。

因為地形崎嶇，為了減少落差以便灌溉更大的面積，許多地方必須開鑿渠洞，其工程極為困難，據說漢族工人在施工時，須有當時被請來當護衛的原住民頭目率領族人作為前導，才能平安的進行開鑿工作；不過，當工程進行一半時，頭目病逝，他的妻子（或女兒）丟滑士為防開鑿地原住民對工程的侵害，以竹豎起頭目的衣服，並親自到現場監督工程，讓原先擔憂的工人能繼續開鑿。但令人惋惜的是，在將近完工時，丟滑士不慎摔落山溝，傷重而死。丟滑士的死讓出資開墾的漢人擔心合約無法繼續進行，除了給予豐厚的撫卹外，更將靈位迎回劉中立家中祭拜，為了感謝她在水圳開鑿上的幫忙，因此在丟滑士的神主牌下加「功勞婆」的字樣。

但還有一個說法，在乾隆 49 年（1784 年），何福興稟請開墾東勢角荒埔，委託劉中立請出丟滑士、古一士、烏達前來護衛陂圳的開鑿，費時三年才完工，並劃定丟滑士等人埔地，以酬謝他們護衛開圳的辛勞；然而，此一說法過於簡陋，並無法從中見到這些原住民朋友，對於當時開鑿的護衛工作有何特殊功勞，以至於要設立神主牌位來加以祭拜。

從以上有關新圳（本圳）開鑿經過的相關事跡，我們可以得知水圳的開鑿與維持並不容易，除了需要聚集眾人的資金之外，更重要的還要有護衛水圳開鑿者安危的原住民協助，且需有長期的田租作為他們的酬勞來源，不過這樣的各種租穀的繳納規定，是否會被持續地落實？可能有困難。因此我們才會看到，出現在光緒 14 年（1888 年）四月，東勢角總理吳兆興、生員徐德欽、武生潘凌雲、業佃戶巫連文、林五桂等人向彰化知縣稟告的一份古文書：

此圳（應指本圳）每租谷貳百石，各圳丁深入番界開築水源，終歲梭巡，即在屯租項下割出，年給圳丁作餬口工資數十年來照給無異。近來贌屯者奸巧多端，每有侵吞藉端拖欠，抗給串單，以致眾工嗷嗷控。追念此圳灌溉攸關，不可廢弛，圳租亦不能少欠。

圳租是每個屯佃戶，依其所灌溉之田園大小，向圳長繳納後，再撥給圳丁，以作為維護與巡邏水圳的費用，若從每甲四石的水租穀來推測，該地當時應有五十甲的田園，需要繳納此一水租穀。從上述的古文書，我們可以看到吳兆興等人，希望官府約束承租屯田地的佃人，能如期繳納給與圳丁原先約定的水租穀份額，讓水圳能夠持續穩定供水，使所開墾出的田地有足夠的水可以灌溉。

## 大茅埔圳的開鑿

大茅埔圳的開鑿，是當年張寧壽先生帶領二十八股眾，在大茅埔一帶墾地建庄時，為使田園有較為充沛的灌溉水源，聘請了風水師傅易庚麟等，率領工人開鑿圳路，自軟埤坑引水進大茅埔，終使原來缺水的埔地，能順利的開墾為良田。

一般而言，在水源不足的情況下，並不易種植水稻，且若水源不足，長期的耕種也易使地力日漸枯竭，導致農作物收成不好。因此，若要在一個開墾的地方長久定居生活，開闢水源就成為很重要的事。故而，我們可以了解大茅埔圳的開鑿，對於客籍先民在此建立庄園有其根本的重要性。至於大茅埔圳興築的資金規劃，我們從古文書資料，可看到有以下約定：

一、在築圳的費用上，二十八股眾每股先納穀七石，共

**易庚麟**

身為風水師與水圳開鑿者的易庚麟，住在大茅埔時曾經授徒傳授風水術予當地居民。

一百九十六石，交由陂長易庚麟與羅俊萬等作為工人伙食、工資與器具購買的費用。其中也約定陂長等應當自備資本，以作為「鑿攏開圳」的工本，因此可見負責帶領水圳開鑿的易、羅二人，應也同為開鑿大茅捕圳的投資者。

二、由於水圳的取水口深入內山，迫近泰雅族的活動空間，二十八股眾為顧及開圳工人的安全，集體出資，僱請四名鄉勇保護，直到水圳開鑿完成。

三、水圳興建完成，開始供水後，大茅埔的田園就按甲來計算租穀，每年每甲開繳納定額租穀八石，並分兩季繳納。其中，繳納業主眾番大租穀 2.6 石，與繳納護衛鄉勇費 1.4 石，剩餘的 4 石永遠納為坡長易更麟等的開圳工本費（此即水租穀）。

四、爾後若有陂頭（取水口）、圳路受到洪水沖刷而損害、崩塌，陂長易庚麟等需迅速地維修。此外，當洪水沖毀水圳的取水口，陂長易庚麟每日需請工人十名「隨即修理」，而二十八股眾也必須全力配合修理圳道，倘若有人不配合，則取消他用水的權利。

五、二十八股眾需負責維護修理陂圳工人安全所需的鄉勇費用。

六、興築水圳、聘請鄉勇等所有的開銷，大馬僯社與片社兩社（即業主）不用支付任何費用。

七、眾人為酬謝陂長易庚麟與羅萬俊開圳的辛勞，撥出在大茅埔圳的水頭（即取水口）所在的猛虎跳牆埔地，每人各五分地，以為辛勞埔。

剛開始，大茅埔圳的水源是引自庄後龍背山（屋背山）的山泉與軟埤坑的澗水，後來因為圳水不敷使用，於是另從馬鞍寵（寮）附近開鑿新取水口，引大甲溪的水注入軟埤坑，以增加大茅埔圳的水量，這個新的取水口，應是在日治初期

【上】食水坑伯公旁的食
【下】水坑溪一隅。
（談佳琪／攝）

【上】站在軟埤坑溪河道上，往大茅埔的方向望過去，從圖中可見此段區域有一段明顯落差，呈現左低右
【下】高的地勢。（談佳琪／攝）

建造，至於大茅埔庄民的日常飲用水，則主要是取自位於庄後的食水坑。

當初大茅埔圳的開發，雖然其水源主要是引自軟陂坑的水，但我們也可以看到，當時的水圳開發，也整合許多大茅埔內天然的小溪流，使此區域各種天然水源得以流入圳道內，充裕水源；另一方面，開發者也有將一些已存在的自然渠道加以修築，使其成為大茅埔圳道的一部份，如此不但省卻開鑿成本，同時也擴大大茅埔圳灌溉的範圍。

由於大茅埔與猛虎跳墻埔地皆為大甲溪的河階地，此階地在表面看起來像是一片沃土，但在沃土下卻埋藏著許多大大小小的石頭，因而增加了開鑿水圳的艱難度，在大茅埔圳的開鑿過程中，最困難的地段應是在其水頭地方，該地位於軟埤坑附近，由於當地矗立了一塊巨大岩石，因需要從岩石中開鑿隧道，以引水入庄，故耗費很大的人力物力。

從地理上來看，隧道所在的地方，恰似一隻側臥的牛，而那巨石就像牛的鼻子處，在其中開鑿水道，就如同用一條

軟埤坑溪一隅，從軟埤坑往大茅埔庄方向流動。（談佳琪／攝）

【上】此段為軟埤坑溪流入大茅埔庄的路線。（談佳琪／攝）
【下】除了地勢的高低落差外，在開鑿過程也能看到人為開墾的高低落差，以利提 升溪水流動的速度。（陳介英／攝）

【上】「水頭」一隅。從圖片可見溪水的流動速度，顯示出地勢落差有一定的高度。（陳介英／攝）

【下】大茅埔圳開鑿最困難的地段「水頭」一隅。現已用鐵網圍住，從水蓋隙縫往內看，可見內有一鋁製樓梯。（陳介英／攝）

水頭旁邊的刺竹林，據耆老口述附近栽種刺竹的人家已經很少了，這可以說是附近唯一的刺竹林區。（陳介英／攝）

繩子，穿過牛的鼻孔，原先在大茅埔圳水頭的隧道出口處地層時常崩塌，阻塞圳道，後來庄民在此建了一座伯公廟，並在附近一塊石頭上立香案，意味著將牛拴住，以免此牛亂動，根據地方傳言，在此之後，這個地方就不再時常崩塌。

大茅埔圳的開築，由於取水口軟埤坑附近的地質較鬆軟，故遇到大水時，圳道與土堤時常崩塌，因此增加了大茅埔圳開鑿的難度及費用，在這些因素的影響下，使得大茅埔圳自道光2年（1822年）開始建築，一直要到道光11年（1831年）才建成，前後共費了十年的工夫。原本築圳的費用，除約定每股每年需繳納租穀七石外，也約定其他不足部分，皆由坡長兩人支付，但可能因耗費過大，造成資本不足，使得墾佃首張寧壽在一張立於咸豐5年（1855年）的借款合約書，文書上寫有因開築水圳耗費甚大，而需告貸的借款原由。

另外，相較於雞油埔，大茅埔的所在位置更為接近泰雅族的生活空間，因而在護庄與圳道的修築上，除了需投入相當大的勞力之外，還需要聘多位護衛者，保護開鑿水圳工人安全，避免其受到泰雅族人殺害。因此，有些文獻資料才會顯示：大茅埔的墾佃首張寧壽因「迫近生番地」而「開圳維艱」，以及他為籌措資金只好告貸，而後來又因為「銀錢無所措借」，只得以其所有的大租穀權，典給義渡會以償還所借的貸款。

由於先人的開圳闢溝，讓大茅埔庄成為客籍移民可以

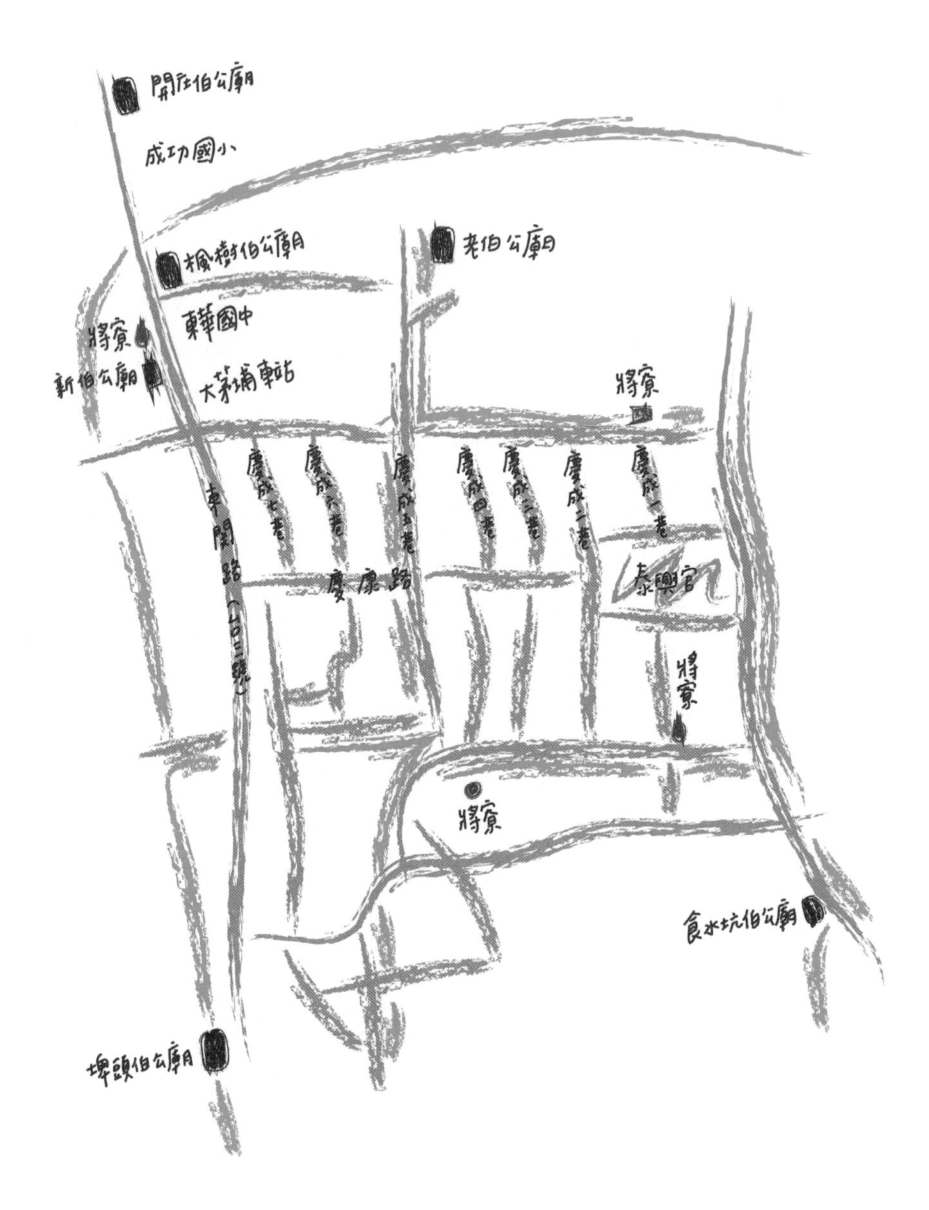


大茅埔庄河流相對位置，參考慶成五街巷弄內的慶東社區導覽圖繪製。（談靜柔／繪）

長久耕種生養的好地方。從風水觀來看，人們認為開鑿圳道能帶來財氣；另一方面，從實用性來看，多條水圳的開築，也具有疏通庄內排水的實際效用，如今我們可以看到，大茅埔在建庄後所興築的水圳與護城溝渠，與藉由引自山澗的泉水、軟埤坑的溪水與大甲溪的河水等多條圳道，終年不斷地流淌在村庄四周。

## 埔地變良田

當年漢人先民入臺移民墾植，水利的興築具有根本的重要性，由於需要有相當大的人力物力，因此常常需歷經數年才能為功，從大茅埔的開墾，我們可以看到漢人在臺墾植的常見過程。拓埔為園，僅是初步的開墾成果，若要提升土地的生產力，就要將園轉變為田，才算開墾工作完成。因此，我們可以進一步理解，尋找農業用水，開闢灌溉渠道，是漢人在臺開墾都相當重視，且需克服的問題。從大茅埔的開墾經歷，也可見到在大茅埔圳完成之後，有了更豐沛的水源供灌溉，才使得原先的荒埔與雜園，逐漸變成種植稻穀的大片良田。

大茅埔自從因水圳的開鑿成功，使其得以從荒埔地變成良田，即使歷經百年，我們仍可見其生氣盎然與富庶，似乎也印證了有關大茅埔是風水寶地的傳說。就地理空間而言，大茅埔在地理師的眼中，甚或許多當地居民都認為，庄後的龍（屋）背山，外形就像是一隻側臥著的牛，俯臥於村庄背後，長年護衛著世世代代生活於此的客家村民。

# 第三章 Chapter 3

# 神明護衛

隨著土地的墾拓、水圳的興建，使得漢文化和以種稻維生的農耕傳統，得以在大茅埔延續，在漢人於臺灣的墾植經驗中，最常見的就是各地移民會將來自原鄉的文化承引到臺灣，如各種護衛神明的延請與建置最為常見；事實上接引原鄉或漢文化普遍崇拜的神祉，往往也是來臺墾殖先民非常重要的精神寄託，因此，大茅埔在鑿圳建庄的同時，也預先籌劃了廟地空間。

據稱此建廟的空間位於大茅埔風水空間中的龍穴所在位置，此外，大茅埔庄民，還以分布在聚落四方的將寮，與設立在村庄周圍的好幾個伯公廟， 層層保護著大茅埔地方的居民，使庄民生活在一個「中心、四方」格局下的神明保護空間中。大茅埔的這種神明層層護衛生活的空間設計，除了說明客籍漢移民承接著漢人文化傳統，生存環境常仰賴著宮廟文化外，也同時說明了墾植於大茅埔的客家移民，因地處和原住民生活範圍重疊，而面臨生活方式的不同，造成生命時時受到威脅的壓力。

# 伯公信仰

土地公信仰在臺灣可說是漢人最普遍的信仰，來自不同地方的人對其就有不同的稱謂，如閩南人稱之為土地公，而客家人就稱之為伯公。就大茅埔而言，從早年勘察地理一直到後來的開圳建庄，先後建置了六座伯公廟。

## 一、開庄伯公

首先是在進入大茅埔庄之前，就有一座開庄伯公廟，位於頭隘坑溪北岸。雖然在行政區位上，該廟地址並不屬於大茅埔庄，而這座伯公廟同時受到大茅埔、上城與下城等三庄居民的奉祀，關於這座伯公廟的緣起，張寧壽先生的後人張閨熒先生，曾說了以下一段和其設立有關的神奇故事：

乾隆末年至嘉慶年間，有一夥墾拓者，從大甲溪對岸的新社、七份等地，向東眺望，發現一片廣闊沃野，長滿茅草。於是一組三人組成的先遣隊，花了兩三天的時間，從大甲溪西岸，挑著米籮，內盛著糧食、輕便必備用品，尋尋覓覓，一會涉滾滾河水，一會上陸行走於茫茫荒野，同時還要防備泰雅族人的襲擊，又要注意陌生環境中未知的毒蛇猛獸。走走停停，走到大甲溪的一條小支流，逆流而上，行至今臺八號省公路六公里成功橋附近，米籮索（繩）禁不住連日來的晃蕩，終於斷了，一行人索陸歇睏一下，這個地點就是現在的開庄伯公。這座伯公廟屬三庄（大茅埔、上城、下城）共有。」。

此故事表示，當時欲進入大茅埔拓墾的客家先賢，先派了三人到此地一探究竟。但在越過大甲溪後，因挑米籮的繩子在現今成功橋開庄伯公處斷掉，先民可能因此認為，是伯公讓米籮繩索斷掉，來示意他們開墾的地點就是這裡。後來，入墾雞油埔與大茅埔的客家先民，就在此建伯公廟共同祭拜，並稱之為「開庄伯公」。

【上】開庄伯公廟一隅。（談佳琪／攝）
【下】開庄伯公內祀奉的伯公伯婆。
（談佳琪／攝）

## 二、庄頭伯公（又稱副君伯公或新伯公）

位於西北角東關路旁的庄頭伯公 ，稱為副君伯公，也稱新伯公。副君伯公廟（新伯公）與北營相毗鄰，是一座位於榕樹庇蔭下的伯公廟，此一伯公廟其廟匾上題為「福德祠」，廟內為土地公與土地婆共同奉祀。

## 三、三板橋伯公

此一伯公廟的旁邊，有一棵超過 200 年樹齡的楓樹，據說原先墾民是先拜這棵在墾植前已矗立此處的大楓樹後，才興建一座伯公廟位在其樹幹旁，這座伯公廟位於老圳與原先的庄路，即現今東關路要到大茅埔庄前的東豐國中斜對面處，此伯公廟也是土地公與土地婆合祀 。

【上】庄頭伯公廟一隅。（談佳琪／攝）

【下】庄頭伯公內祀奉的伯公與伯婆。伯婆懷中抱有一童子，象徵伯公與伯婆除庇佑大茅埔土地，也照顧庄中孩童。（談佳琪／攝）

三板橋伯公廟一隅。（談佳琪／攝）

【上】三板橋百年老楓樹一隅。（談佳琪／攝）
【下】三板橋伯公、伯婆。（談佳琪／攝）

## 四、庄下伯公廟

此伯公廟位於東華國中後方，據說是大茅埔庄最早的伯公廟，稱為老伯公，又稱為福德祠。此廟最初只是一個以石頭建造的小神龕，後來才逐漸改建，至今已擴建成頗有規模的一間伯公廟。

## 五、食水坑伯公廟

此伯公廟位於大茅埔庄的東南角，為護衛庄民飲用水的伯公，其廟名寫著「正福宮」，特別的是，此廟同時供奉土地公與哪吒太子（太子爺），也沒有土地婆。有一個關於此廟太子爺起源的傳說：

據說約一百多年前，庄內一位小孩在放牛時無聊，於是以泰興宮內的太子爺為臨摹對象，刻了一尊神像，雕好後置放在土地公廟內，並天天膜拜；有一天，許多牧童所放的牛走失，只好擲筊請示太子爺，太子爺指示這些牧童將其綁在

庄下伯公廟一隅。
（談佳琪／攝）

輦轎上（當時小孩以椅條代替輦轎），以觀輦轎方式協尋失牛，終於在山的另一頭找到走失的牛，此後，庄民即開始共同膜拜土地公與太子爺公。

食水坑伯公廟一隅。
（談佳琪／攝）

此外，據村民告知，約四、五十年前，此伯公廟要重建時，庄民想迎其中的太子爺回泰興宮供俸，但祂不答應。最近幾年此廟又要重建，太子爺仍不願到泰興宮，於是形成太子爺與伯公合祀的現象。但在每年二月二十五日，泰興宮的大王爺生日時，都會請此尊太子爺到宮裡接受膜拜。

食水坑伯公、三太子共祀。（談佳琪／攝）

## 六、軟埤坑伯公

此伯公廟位於軟埤坑溪旁，也在大茅埔圳的水頭位置，是當時開鑿水圳時所興建的伯公廟，後來曾經再改建，其廟前匾額題有:「埤頭福地」。廟內除供俸伯公外，還供奉了「水德星君」、「五顯大帝」與「五福正神」的神位。因此可明

軟埤坑伯公廟一隅。該廟雖不見水德星君塑像，但由廟聯前兩字，可推測該廟曾祀水德星君之實。（談佳琪／攝）

軟埤坑伯公形象特殊，為騎虎伯公。（談佳琪／攝）

顯看到此處的伯公廟，主要是為護衛圳道而建；再者，此處所恭奉伯公的造型也較特殊，是一尊騎在老虎上的伯公神像。據說，原先當地的山壁土石易於崩塌阻塞圳道，但在建了此伯公廟之後，這種現象就很少再發生。

## 七、石頭娘

大茅埔在其村庄入口地方，還有一個較為特別的祭拜對象，那就是「石頭娘」（即石頭母之意），祂位於東關路的

石頭娘一隅。
（談佳琪／攝）

庄頭伯公旁，原是老圳大榕樹旁的圳水中的一塊大石頭。據說其因會阻礙到水流，庄民就雇工把石頭吊起來，置放於水圳旁，後來庄中的居民發現，若有出生嬰兒不好照顧，常哭鬧不停，來此祭拜之後，居然就有所改善，故漸漸地演變成有人會準備牲禮、四果，來央請石頭母收嬰兒為「客子」的習俗，效果據說相當好。

石頭娘。（談佳琪／攝）

## 護庄神廟

大茅埔庄從建庄開始，就預先規劃，興建全村庄的信仰與地理風水中心「泰興宮」，它籌建於咸豐辛亥元年（1851年），於咸豐丙辰六年（1856年）建造完成，從開始建廟到落成，花了將近六年的時間。就泰興宮興建時間來看，顯然是在庄民於大茅埔拓墾有成後，才集資興建。當時建廟的發起人，是大茅埔墾佃首張寧壽，庄民公推徐來金為建廟經理人，負責掌理建造泰興宮的一切事宜。特別的是，張寧壽等二十八股人於當年建庄時，即在庄地空間規劃上預留了廟地。因此有人推測在建庄後，庄民應已在泰興宮的現址上搭建簡

### 化胎

從風水概念來說，化胎承受天地之氣、孕育一切事物，是客家傳統家宅最重要的區域，而化胎也有如家宅的靠背般，在風水上象徵安穩。古早客家興建的夥房落成時，必將後山的龍脈牽引入家宅後方，並將龍脈安置於化胎，再建立土地龍神香位於阿公婆龕正下方，期望在祖先的庇祐下，家宅人丁自然旺盛，這就是代表子孫綿延香火不斷之「有後」。泰興宮後方是用土填高稍微隆起的土地，且呈半月形的形狀，這便是所謂的「化胎」。

【上】泰興宮。（談佳琪／攝）
【下】泰興宮內的福德尊神位牌，上有「本境福德尊神位」字樣。（談佳琪／攝）

單的建築物，並將原本供奉在張宅中的三山國王令旗恭迎於此，以供庄民膜拜。在未建大廟之前的簡單建築物，或許就是用一根老樟木樹幹建成的廟，這是傳說中泰興宮最初時期樣貌的描述。

泰興宮從地理風水的角度，有人指出它是建於牛眠穴的龍穴所在位置，以整個庄內空間來看，泰興宮就位於庄地中央道路頂端靠山之處。據說當年覓尋廟地時有兩個考慮方案：一個是要在財旺的地方，另一是人丁旺的地方。最後是選建於有益於人丁旺盛的位址上，原由是因為庄民認為拓墾勞力越多越好，再加上時時面臨泰雅族的出草威脅，因此生養更多的壯丁，不但可有更多人從事耕種，同時也可有更多人護衛村庄。

由於墾闢大茅埔的二十八股眾，全為客家人，大多信奉三山國王，因此，大茅埔的庄廟泰興宮所奉祀的即是三山國王。這種宗教神祇與文化群體的認同與歸屬，我們可以從鐫刻於泰興宮廟壁的「泰興宮重建序」見其端倪。廟碑中記載

**龍神**

為客家建築特有的神明，無論廟宇、住家在神龕下通常設有祭祀土地龍神的香位，因為客家人相信經由「牽龍」儀式將天地山川的靈氣導引前來廟宇、家宅鎮守，可以保佑地方平安及五穀豐登、子孫滿堂。尤其客家夥房的龍神涵義是將龍脈接引進來，安置在神龕正下方，通過正門門檻，直達半月池，形成客家夥房整體的風水中軸線，能夠庇蔭宗族子孫繁盛昌榮。泰興宮的龍神設置於弼教堂殿後的大榕樹前，並將榕樹做為象徵祭祀的龍神。

【上】泰興宮所祀三山國王像。（談佳琪／攝）

【下】泰興宮三山國王新雕金尊安龕紀念序文。（談佳琪／攝）

【上】泰興宮龍神。（談佳琪／攝）
【下】位於泰興宮弼教堂後、龍神前的化胎局部特寫。（談佳琪／攝）

著：「開庄先賢張寧壽公，從彰化荷婆崙霖肇宮恭請令旗，在其府上奉祀。因護境安民、神威顯赫……。」據碑文的內容，我們可看到此廟所俸祀的神祉，剛開始只是由私人所供奉的神祇或令旗，再逐漸成為眾人所共同奉祀的神明。此種廟宇所奉祀神明先由私人崇奉，再轉變為眾人供奉對象的過程，在臺灣漢人的移墾經驗中相當常見。

一個庄廟的建立與其規模，往往是當地居民墾耕有成，以及在建廟過程中主要參與者或促成者，其個人身家成就的見證，如泰興宮內即存有一木匾，對捐助建廟費用與香油等錢的主要人物，有如下記載：「咸豐辛亥元年，國王宮信生張寧壽施出慶福庄大租股半，信士楊及億施出慶福庄水田股半，張登龍施出慶福庄水租股半敬奉。」。

大茅埔的中心大廟泰興宮創建後，為了要維持正常運作，需要香油等費用的支出，從文獻可以看到，這些費用主要由墾佃首張寧壽、楊及億與張登龍三人捐出。張寧壽捐出他於慶福庄（即猛虎跳墻）所應收的大租穀的一半，楊及億捐出他在猛虎跳墻原有的水田權的一半，以及張登龍捐出他應收之猛虎跳墻水租的一半，充當王爺廟日常開銷的經費。據說，早年庄民為感謝獻出慶福庄一半水田大租谷為香油等費用的庄外人楊及億和其後代，在大茅埔王爺生日時，都會抬轎恭迎其來大茅埔參加慶典，這種習俗一直到日治時期還在。

三山國王作為大茅埔庄的守護神，傳說也曾顯靈保佑庄民的安全。根據庄內耆老的說法， 故事梗概大致如下：早年泰雅族時常下山出草獵取庄民的頭顱。有一次原住民趁著黑夜要來偷襲大茅埔庄，雖然庄民事先並沒有獲得任何警訊，但泰雅族並沒有偷襲成功。神奇的是這個偷襲事件，是在事後經已交好的原住民朋友，來庄內議和時見到神像嚇了一跳，才親自對庄民說出。據傳泰雅族人之所以沒有偷襲成功，是因為當他們慢慢推進到大茅埔附近的山坡時，突然有一個身軀高大、手中拿著大刀的人，出現在他們眼前，使他們嚇破了膽，趕緊退回山上去，而那個擋住他們路的人，長相就像神像一樣，庄民認為應是三山國王顯靈趕走生番，因此三山國王在村庄中就流傳著護庄防番的說法，此種退番的神蹟傳說，也強化了三山國王在當地人心中其作為地方守護神的地位。

另外，據當地耆老的說法，民國 88 年（1999 年）發生「九二一大地震」當天，三山國王也曾顯靈護持大茅埔庄民。耆老說：「九二一地震發生當時，居住在大茅埔對面新社地區的朋友告訴他，地震時他們跑到屋外，看到大甲溪對岸的大茅埔整個村莊皆籠罩在紫光中。」地震後，大茅埔雖有數間土角厝倒塌，鋼筋樓房全部安然無恙，外牆均不見裂痕，且更慶幸的是，庄民僅有三人受到傷害，其中較嚴重的一位是腿斷掉，其餘的庄民均毫髮無傷，與東勢街上傷亡慘重的情況相較，大茅埔很幸運地倖免於難。更令人驚訝的是泰興宮在地震時，並未因搖晃而掉落一磚一瓦，事後發現能全然無恙逃過劫難的廟宇，在東勢地區也只有泰興宮，庄民們大都認這是有賴三山國王的保護，才使得庄民無重大傷亡，庄民為感謝三山國王於大地震發生時的庇護，全體庄民在地震後到廟中舉行祭祀活動並齋戒數日，以感謝神明的保佑。

大茅埔的泰興宮，還有一個行之百年的「吃福」（或食福）的活動，大茅埔庄民今年（2018 年），共計有九個「吃福」節日：即分別為三個土地公福、太陽福、山神福、五穀福、太平福 、太子福、將軍福等九個。據文獻記載，以前共有十一個吃福節日，吃福會當天的進行方式約略為：負責福會的福首，一大早就需去採買當天吃福要用的食材，採買回來先將其作為牲禮祭拜庄頭各土地宮以及泰興宮諸神，再由福首帶領分配到該次烹煮工作的人，將其做成料理以提供所有參加吃福的人共同食用。每年廟方都會列出該福會福首的名單，每次吃福日，這些負責的福首，就需統籌各項事務，包括分組祭祀各伯公、準備吃福牲禮等。多年來每次福會參與的人數大約十桌，來參加吃福或「分福」的庄民，每次約需繳納二百元。庄民可自由選擇參加哪個福會，並可參加數個不同福會。

**鸞堂、扶鸞、扶乩**

清代時已傳入臺灣，日治時期大興，迅速地傳布到臺灣各地，蔚然成為臺灣民間教派裡重要的一個派別。扶鸞又稱扶乩，為一種天人溝通的方式，一般而言，指神降到正鸞（或正乩）身上，由正鸞持形狀似「Y」字形的桃木筆在沙盤上寫字的宗教儀式。

【上】此桌為農曆六月十五日太平福福首桌。（談佳琪／攝）
【下】此為農曆六月十五日太平福盛況。（談佳琪／攝）

## 神威戒煙

大茅埔庄在主廟泰興宮的正後方，有一間稱為「弼教堂」的宮廟，其興建的緣由可追溯至日治時期中葉，徐德文率庄民前往新竹縣芎林鄉飛鳳山代勸堂（聖帝廟），迎回關聖帝君、孚佑帝君、司命真君等三尊恩主公 ，奉祀於張阿盛家之民房壟間，後來遷移至泰興宮內祀奉。

但是到了日治時期的明治 39 年（1906 年），由於泰興宮三山國王顯靈指示：聖帝三尊應當另築廟宇奉祀，以發揚神威，佑民護國，因此由創堂經理人徐德文、劉石鴻、劉泰進、羅三滿、羅享威、劉統吟、羅慶祥、羅李松等聯合眾人的力量，共同捐款建廟，並獲得廟旁居民張阿盛無償提供土地，使得弼教堂得以在泰興宮的後方順利建成。

現今位在泰興宮後方的弼教堂，主祀三尊恩主公，左右同祀關平太子及周倉將軍，兩邊側殿則供奉十殿閻王及城隍爺。據庄民相傳，廟旁住家常於深夜時分聽到拍案聲及腳鍊

**弼教**

意思是輔助教化，多指以刑輔教，目的是勸人為善。

【上】弼教堂的「功成弼教」匾能體現出當時勸戒鴉片的成功。（談佳琪／攝）
【下】弼教堂匾。（談佳琪／攝）

【左】從左側落款可以看到創堂經理人徐德文、劉石鴻、劉泰進、羅三滿、羅享威等大名。（談佳琪／攝）
【右】一般廟宇的天公爐常放置於前殿中門門口，但泰興宮的天公爐是置於後堂，是屬典型的客家廟宇空間配置。（談佳琪／攝）

彌教堂中祀奉的恩主像。（談佳琪／攝）

聲，像是城隍爺在夜審辦案，所以庄民對彌教堂都非常敬畏。由於日治時期，庄民生活清苦，醫藥缺乏，庄中婦女遇上疑難雜症時，經常向關聖帝君叩求藥方，據稱皆能藥到病除，靈驗異常。

彌教堂最初是為戒除庄民吸食鴉片而設立，其時代背景正處於日治初期，臺灣盛行鸞堂戒除鴉片運動階段。日治初期，也因鸞堂戒煙運動的傳布與成效，間接促使關聖帝君信仰廣泛分布在臺灣社會各地。除此之外，作為儒宗神教的鸞堂，不但是個戒除鴉片癮的神聖地方，同時也肩負著傳統儒家倫常傳播的功能。

一般來說，泰興宮的三山國王神殿被稱為「前堂」，而位於其後方建築的弼教堂則被稱為「後堂」，其廟務的進行都是由泰興宮管理委員會共同管理，並沒有另外的爐主首事。在祭典上，弼教堂的主神是三恩主公，其中又以關公為主，所以廟方每年會在農曆六月二十四日，關聖帝君聖誕千秋時舉行三獻禮。廟方人員指出，由於這一天恰巧也是二王爺生（農曆六月二十五日），因此會將弼教堂的神尊請到正殿來一起辦理祭儀，由泰興宮爐主、副爐主、禮生共五人，帶領庄民進行祭拜儀式。

## 將寮五處

在泰興宮建後，也建有東、西、南、北、中五個將寮，護衛著大茅埔庄落，形成一個完整的五營體系。

約在二百年前大茅埔建庄時，面對許多不可預知的侵擾及土匪與原住民的侵襲，於是在庄的四周設有護庄壕溝、刺竹隘門、瞭望臺等防護設施與配置隘勇隊，同時也為了避免受到另一幽冥界「魑魅」干擾，故在庄內外都有著各方神明兵將的奉祀，因此我們會看到大茅埔庄，有以泰興宮為中心，並在庄的四周佈置將寮的防護安排。

由於五營神兵（將寮裡奉祀的對象）是民間王爺信仰的一環，其造型雖簡單，但象徵十萬兵馬神力，戍守庄頭庄尾，可防止邪魔歪道入侵，五營以泰興宮為中心，依五行方位而設。庄中信眾每逢農曆初二、十六，庄民會輪流負責敬備牲禮、果、品，與馬草、水，以饗將營兵馬，一直持續到今天。

## 一、東營將寮

此將寮位於泰興宮右旁的慶成一巷尾端，面對將寮的上聯為「將守甘露水」、下聯為「營鎮稻菓生」，橫批無風時被紅條所掩蓋。自此可以看出大茅埔庄是典型的農村社會，該營令旗為綠色；東營主帥為張清基，兵頭胡其銘、率九夷軍、九千軍馬、九萬兵員。

## 二、西營將寮

此將寮位於泰興宮左旁的慶成一巷尾端，面對將寮的上聯為「將威安社稷」、下聯為「爺力掃除邪」，橫批為「武營大將軍」。自此可以看出該將寮的主要作用是防禦，該營令旗為白色，西營主帥為劉武秀，兵頭金記宿、率六戎軍、六千軍馬、六萬兵員。

## 三、南營將寮

此將寮位於泰興宮左旁的慶成五街與舊護城河交會點附近，此將寮並無對聯。該營令旗為紅色。南營主帥為蕭其明，兵頭蔡坤，率八蠻軍、八千軍馬、八萬兵員。

【左】東營位於泰興宮右旁的慶成一巷尾端，其對聯展現農村社會水及作物的重要性。（談佳琪／攝）
【右】東營的綠令旗。（談佳琪／攝）

【上】西營位於泰興宮左旁的慶成一巷尾端，其對聯呈現該將寮的防禦功能。（談佳琪／攝）
【下】西營的白令旗。（談佳琪／攝）

## 四、北營將寮

此將寮位於東關路上的庄頭伯公（副君伯公）旁邊，面對將寮的右聯為「衛慶東寧靜」、左聯為「戍北門昇平」，橫批為「衛戍北門」。自此可以看出大茅埔庄是防禦的範圍，此處以前應為北門所在，該營令旗為黑色。北營主帥為連忠宮，兵頭王直元、率五狄軍、五千軍馬、五萬兵員。

## 五、中營將寮

此將寮所在位置較為特殊，是在泰興宮裡面，且位於弼教堂前的旗桶內。中營主帥為李哪吒，兵頭吳德祥，率三秦軍、三千軍馬、三萬兵員，令旗為黃色。

【上】南營位於泰興宮左旁的慶成五街與舊護城河交會點附近。（談佳琪／攝）
【下】南營的紅令旗。（談佳琪／攝）

【上】此將寮位於東關路上的庄頭伯公（副君伯公）旁邊，從對聯可看出該地應為舊大茅埔北門所在，該營令旗為黑色。（談佳琪／攝）
【下】北營的黑令旗。（談佳琪／攝）

【上】中營未另設置將寮，而是直接設於泰興宮後堂的弼教堂中。（談佳琪／攝）
【下】中營的黃令旗。（談佳琪／攝）

# 第四章 Chapter 4

# 族群碰撞

資料來源：温振華（1999 年），《大茅埔開發史》，臺中縣立文化中心，P19。（陳介英／翻拍）

## 族群的衝突與遷移

在今天東勢區較為平緩的地方，於清朝時期的主要居住者是屬平埔族的巴則海族（Pazeh），他們生活在臺中平原一帶，又分為岸裡社、樸仔籬社、阿里史社及烏牛欄社四大部落。他們生活的範圍主要是以葫蘆墩（今豐原）為中心，北到大甲溪，南到潭子，東到東勢，西至大肚山一帶。基本上，在大甲溪流域生活的平埔族，以岸裡社的勢力最大；康熙 54 年（1715 年）時，清朝以岸裡社平亂有功，授予其領袖阿莫信牌，為該社第一任總土官，岸裡社就此成為「熟番」（指當時歸順清朝統治的原住民）；康熙 55 年（1716 年）時，清朝即將岸裡社東至大山，西至沙轆地界大山，南至大姑婆，北至大甲溪，東南至阿里史，西南至捒加頭一帶，賜給岸裡社墾耕，岸裡社歸化後成為巴則海族的「宗主」，為了便利墾耕及統治整個臺中平原，他們就從后里舊社村移往神岡大社村，因此清朝時期大社村成為巴則海族的政治核心，因而有「岸裡大社」的名稱，而岸裡社群裡的樸仔籬社位於岸裡

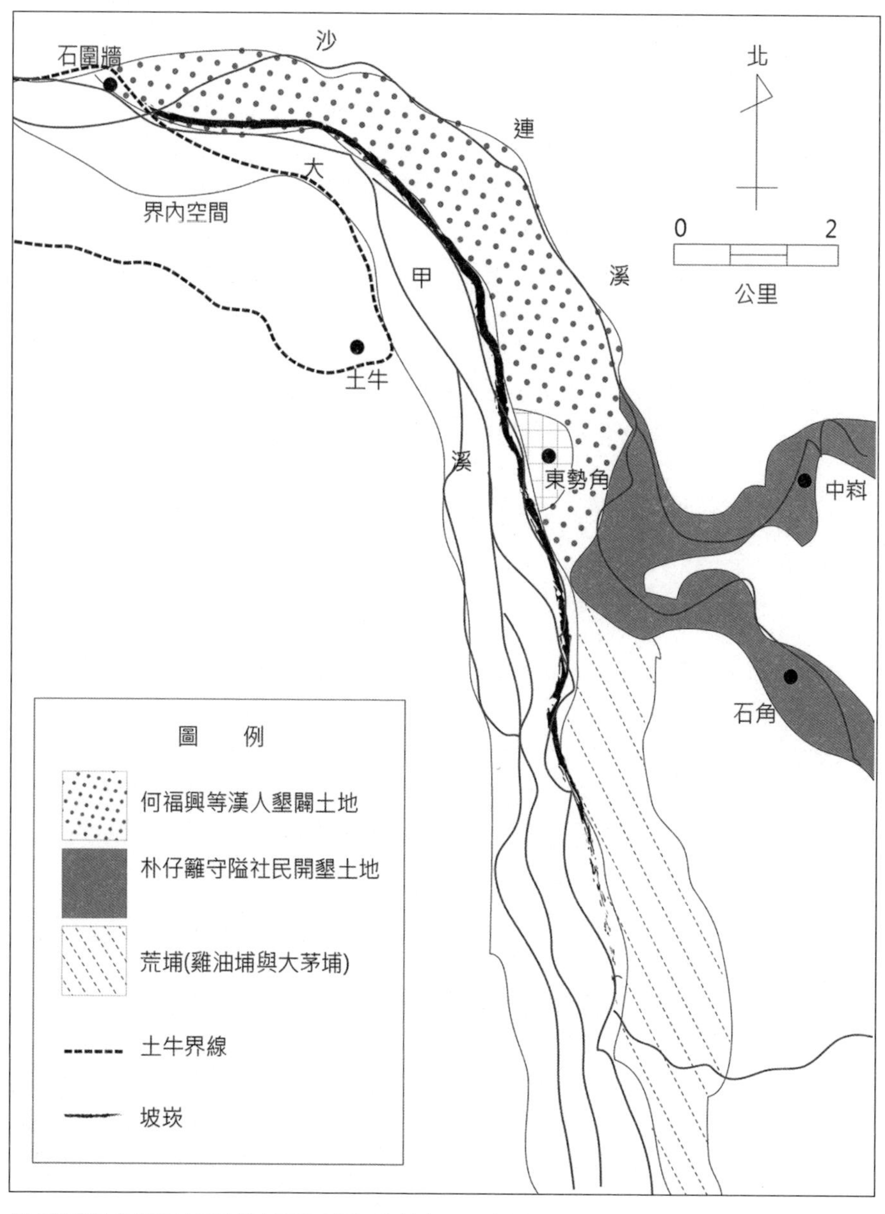


設屯前東勢角縱谷地區地權空間分布圖。資料來源：池永歆（2000 年），《空間、地方與鄉土：大茅埔地方的構成及其聚落的空間性》。國立臺灣師範大學地理學系博士論文，P36。

社群的最東邊，所以後來東勢角地方的墾植，樸仔籬社的平埔族人就常成此地方的社丁或防守隘口的人。

除了上述已歸化清朝的平埔族人之外，在東勢山區一帶（當時也稱為「界外」）生活的原住民主要是泰雅族人，他們大多分佈在大安溪與大甲溪上游，即今天的和平區境內，分別為北勢群與南勢群兩個大的聚落。日本人森丑之助在其研究中將北勢群分為八社，南勢群分為七社。北勢群的八社，分別有蘆翁社、盡尾社、得木巫乃社、眉必浩社、馬那邦社、蘇魯社、老屋峨社、武榮社，其生活區域主要在大安溪上游及支流眉必浩溪、雪山坑溪一帶，距離東勢不遠；南勢群的七社，生活在大甲溪中游南、北兩側，在北側的有捎來社、沙巴耶社，而在南側的則有阿冷社、白毛社、南阿冷社、希拉古社、貼字悠完社等。

就東勢區的漢人族群而言，最早主要是因採製造船資材而順勢移居到東勢，到了清末日治初期，又因為樟腦油的產製，而使得東勢一帶逐漸繁榮起來；到十九世紀後半葉，東勢已成為重要的製腦集散地，其樟腦的產製點甚至推進至東勢以東的內山一帶，已深入泰雅族北勢群與南勢群的生活空間之中，除此之外，漢人在東勢的移墾行為，如大茅埔庄矗立在最靠近泰雅族民生活區域的邊緣，這些漢人墾植的區域，其實原本大多是屬於平埔族的土地，但後來在嘉慶至道光（約 1800 ～ 1850 年）年間，不知何故，平埔族人紛紛將土地賣給漢人而集體的遷移到埔里。在其後的數十年間的冬至前後，他們還會回到東勢一帶，向之前的買家，索取一點當年低價賣地的補貼金，留下了後人相傳的「翻田根」故事。

總體而言，東勢地區漢人逐漸侵入原住民傳統生活區域，以及由於生活方式與習慣的不同，如一方是以種田植果為生，另一方則靠狩獵採集與簡單種植為生，若相互距離遙遠則可相安無事，但因領域重疊的地方增多，造成不少生命財產嚴重損失的衝突事件，透過合約的安排，大多時候也都

**翻田根**

東勢地區，在漢人的開墾過程中存在著一個明顯的族群替換過程，如在今東勢區的新盛里，於清朝即是屬平埔族人居住的地方，其部落分為頭社、二社、尾社等三個區域，在民安巷一帶稱為頭社，保安巷一帶稱為二社，清平巷一帶稱作尾社，大約二百年前，由於漢人大批進墾東勢角，使得人數較少的平埔族人後來遷往埔里。根據先人的傳言，當年平埔族人遷移時，就把他們在新盛里的耕地，都讓渡給漢人，由於他們走得很匆忙（原因不明），所以有些田便宜就賣掉了。如相傳當時就有漢人以幾顆鹹菜換得一塊良田的例子。可能當地的漢人和平埔族之間關係較為和睦，故才會有這些平埔族人遷居埔里後，每年只要到了新年時期，便成群結隊回到新盛里做客，看看以前所住的房子及耕地，順便向接手的漢人表示，以前地賣給你們太便宜了，期望再給一點補貼。而新盛里先民，也會拿點錢給平埔族人回家過年，並煎年糕（甜粄）招待他們。

還可相互容忍，這種與原住民之間的衝突與融合，可以說是大茅埔庄建成後到日治中期之前，生活在這個地方的客籍先人們，在其日常生活中常會經歷的事。

## 漢化與遷移

清朝開始統治臺灣後，對於原住民常會運用各種方法來使其歸順，如在乾隆（1736 ～ 1795 年）年間，就有隸屬泰雅族的屋鏊十三社，在岸裡社通事潘敦的勸說下，率領出山向清朝歸化，乾隆 49 年（1784 年），張達京的兒子張鳳華也勸成了八社出山歸化。因此，從歷史記載可以看到，在現今石崗東勢一帶的原住民族群，最早是以平埔族的岸裡社群為主體，包含岸裡社、樸子籬社，而當時在平埔族以外的原住民，則有屬今日泰雅族的屋鏊十三社，漢人則以粵籍的大埔客家人為主。

乾隆時代初期，在東勢角地區的客家人仍屬少數，其中部分擔任了岸裡社通事或社丁職務，其大規模的移入主要是

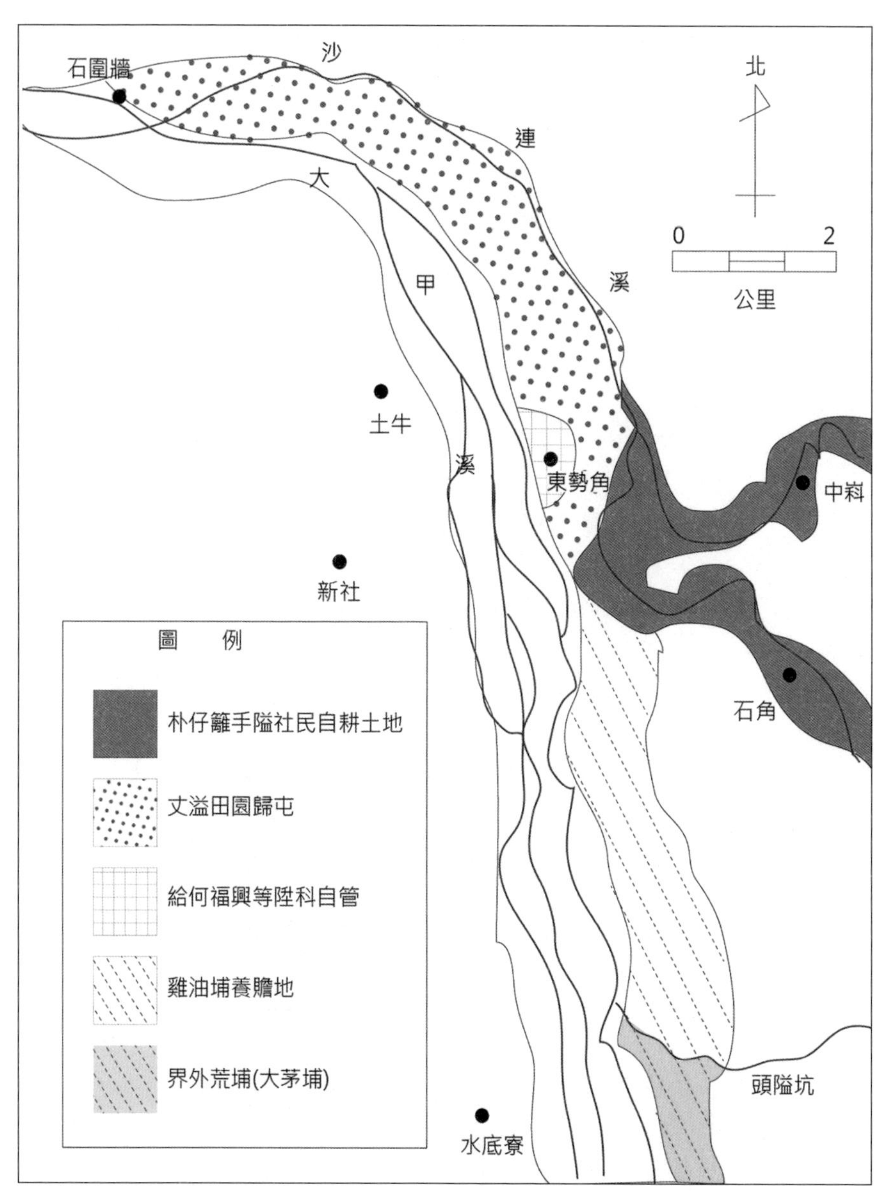


設屯後東勢角縱谷區地權分布圖。資料來源：池永歆（2000 年），《空間、地方與鄉土：大茅埔地方的構成及其聚落的空間性》，國立臺灣師範大學地理學系博士論文，P41。

在 18 世紀，許多客家移民隨著軍工匠人至大甲溪中游的沿山地帶採集造船木料，並於此拓墾定居。現今仍存在當地的較大客家家族，則有石崗土牛溝的劉文進、東勢邱禮千、劉中立、大茅埔張寧壽等家族。其實自乾隆 55 年（1790 年）所定案的 144 名屯丁中，有 88 名是屬於在雞油埔養贍地二社（拍打竿社）、阿都罕社與大馬僯社等三社的人，其數量占了整個朴仔籬社 144 名屯丁的 61%，因此，部分朴仔籬社分配到雞油埔養贍埔的平埔族屯丁，至十八世紀末，已攜家帶眷地舉家遷移到雞油埔，重新建立其安身立命的地方。

其實今日的新社、東勢等地區，在清朝時皆是番社（平埔族人組成）所掌管的範圍，據歷史記載，在 18 到 19 世紀，岸裡社群不僅擁有當時官府所劃番漢界限以外的埔地，同時他們也大量招來漢人作為佃農，代替他們從事田園的墾植工作，當中即有不少是客家籍的移墾者。客家人隨著平埔族人在清官府屯田政策下養贍地劃撥，並漸漸進入內山建立聚落，如大茅埔的張寧壽家族，就在道光 2 年（1822 年）擔任慶東庄的墾佃首，招墾佃戶張雄才、張漢等28股，在此地築圳開墾。

從一些歷史文獻的記載，有學者指出，嘉慶年間，朴仔籬平埔族社民生活空間，隨著屯丁制養贍埔的劃撥，至此時已逐漸轉移到雞油埔一帶，到了咸豐年間（1851~1860年），或在道光中葉（1840年）前，朴仔籬社的社民，就逐漸遷出雞油埔，至埔里去另尋新天地。因為從同治9年（1870年）朴仔籬社屯丁數僅剩21名的記載，似乎可印證此一推測。其實漢人和平埔族原住民之間，應該比與山地原住民更加和諧，據傳東勢一帶平埔族人移居到埔里之後，剛開始每年過年還會回新盛里做客的習俗，直到大約在八十幾年前才停止，此後兩邊各自發展幾乎沒有往來。

這種漢人取代平埔族原住民的情形，根據日本人的研究，到了明治34年（1902年），石岡東勢區域內族群，主要以客家人為主，而泉州、漳州人則僅有80、148人，其中最引人注意的是：自18世紀以來，擁有大量地權的岸裡社群

合約

有關合約的對象，應不僅限於大茅埔附近大甲溪中游的部落，同時包括大安溪一帶的部落。

中的樸子籬社平埔族人，至此時則已消失，因此可以說到了明治 34 年（1902 年），東勢一帶已無平埔族人，完全成為以客家族群為主的地方。根據古文書內容的推斷，最慢到道光 14 年（1834 年）大茅埔的主要開墾者張寧壽，已擁有大茅埔部分土地的所有權，而其所擁有的土地，原屬於大馬僯與片社的平埔族人所有，原先在東勢大茅埔一帶擁有土地的平埔族，自 1830 年之後，即逐漸將土地讓售予漢人而移居到埔里。

## 合約與墾植

在清朝時期，現今東勢區一帶，是屬於泰雅族的生活區域，雖然隨著清政府因造船木料採集的需要，而在現今東勢街區上設立匠寮之後，就漸漸使現在的東勢區成為平埔族與漢人合作墾植，也是漢人和泰雅族打交道的區域。剛開始進入此一區域時，主要的土地擁有者乃平埔族，而漢人大多是向其租地墾植的佃戶，但隨著平埔族遷移到埔里去，東勢區河岸邊可種植的土地就都成為漢人所擁有，在東勢一帶的開發過程中，一些通曉原住民和漢人文化語言的人，則扮演著很重要的居中協調，或緩和漢人與原住民衝突的角色，而在漢人入墾東勢的過程中，我們也會看到漢人與原住民衝突解決的方式，大都是以合約的方式進行。

明治33年（1900年），記載森丑之助在日治初期大茅埔庄民和原住民以合約來規範彼此的行為，如大茅埔庄民即一直沿用合約，來換取庄民入內山伐木的權力，其中應還包括熬製樟腦等活動，依照漢人於道光與光緒年間所訂的合約，漢人若要在境內伐木、拓墾，每年庄民需贈送蕃社牛、豬的約定，儘管雙方間有了合約，但據其描述，日治初期，漢人若要進入泰雅族的生存空間從事貿易或墾殖仍需有些許衣著上的改變，才會比較安全，因大茅埔一帶是泰雅族生活、狩獵的地方，尤其在道光19～20年（1839～1940年）間漢人在此處生活還是有很大的威脅，於是當地開墾的漢人，於道光21年（1841年）2月20日，在東勢角通事廖天鳳的努力下，給捎來社豬 5 頭，白毛社豬 2 頭，油竿來完社、老屋鏊社等社各豬 1 頭，以求得進入山區採集木料與熬製樟腦的認可。

從一份光緒 14 年（1888 年）的合約內容，可以看到漢人給予泰雅族原住民，以取得和好關係的東西，大致上有牛、豬和金屬器具等，只是因為年代久遠，很難確定數量是否精確，但至少可以了解，當年漢人與原住民大致上是透過各種物質的贈與，來換得他們對漢人進入其生活範圍進行墾植或採集林木資源的默認或許可。

| 合約社名（圓） | 牛（頭） | 豬（頭） | 金屬類器物 | 總價 |
|---|---|---|---|---|
| 武榮社 | 1 | 2 | 17 | 65 |
| 老屋鏊社 | 1 | 2 | 30 | 78 |
| 白毛社 | 2 | 4 | 110 | 110 |
| 油竿來完社 | 2 | 4 | 0 | 120 |
| 捎來社 | 2 | 5 | 0 | 315 |

| 合約社名（圓） | 牛（頭） | 豬（頭） | 金屬類器物 | 總價 |
|---|---|---|---|---|
| 阿冷社 | 0 | 1 | 300 | 62 |
| 蘇魯社 | 3 | 1 | 15 | 40 |
| 馬那邦社 | 1 | 0 | 10 | 38 |
| 眉必浩社 | 1 | 0 | 8 | 30 |
| 得木巫乃社 | 1 | 0 | 0 | 30 |
| 盧翁社 | 1 | 0 | 0 | 30 |

資料來源：森丑之助，1912 年。

在大茅埔定居的客家人，由於墾植地方處於泰雅族南勢群的阿冷社、白毛社與捎來社的生活範圍，但為了彼此的和諧相處與取得墾植、採集樟木以製造樟腦油的空間，從現有的資料顯示，僅在光緒 14 年（1888 年），墾植於當地的漢人即給此三社牛、豬與金屬器物等作為合約的基礎，是否完全由大茅埔庄民攤付並不清楚，但在漢人付上述合約物品給予原住民後，即獲得深入原住民地伐木、熬腦的安全保障與當地林木資源採集的默許，相較於其可獲得的經濟利益，此合約的支出其實並不算多。

## 衝突與招撫

總之，東勢角在乾隆35年（1770年）後，由於匠寮的設立，而產生了一連串的變遷，首先是由於原始林木的砍伐，使得漢人易於進行土地的開墾，也造成越界私墾的人漸漸增多，最後形成當地軍工匠人和私墾者結合，在這片原是漢人不得進入的土地上從事開墾。在清朝統治臺灣的初期，被定為界外的地方，原是禁止漢人進入開墾，但東勢地區，隨著軍工匠人可以合法進入採集船用木料，導致從事山裡林木資源開採與捕捉野生鹿的人日益增多，因此也造成了漢人被泰雅族人出草殺害等事件，使漢人、平埔族人與山地原住民之間的糾紛層出不窮。總體而言，東勢地區的開發，可以說就是在漢人、平埔族（巴則海族樸仔籬社）與泰雅族等，三個族群的互相衝突中逐漸完成。

這個過程其實充滿血淚與激情，如在道光15年（1835年），慶福庄受到泰雅族的侵襲，有庄民三十多人遇害，因此在該地墾耕的庄民就放棄已拓墾的土地，退回到有堅強防禦設施的慶東庄；後來，大茅埔一帶庄民為了杜絕泰雅族的侵擾，就在道光 21 年（1841 年）二月，由通事廖添鳳與泰雅族訂立合約以免進一步傷亡衝突；同治 3 年（1864 年）時，泰雅族又再度侵擾，於是客家先民就在土名為抽藤坑一帶，設立私人隘站防守，以維護大茅埔庄民的安全；到了日治時期的大正年間（1920 年代），由於原住民可能因覺生活區域

大茅埔聚落護城防禦措施的剖面示意圖。資料來源：黃貴財（2012年），《從文化景觀脈絡因子剖析聚落紋理保存價值與管理：以大茅埔客家聚落為例》，中洲科技大學機械與自動化工程系工程技術研究所碩士班，P119。

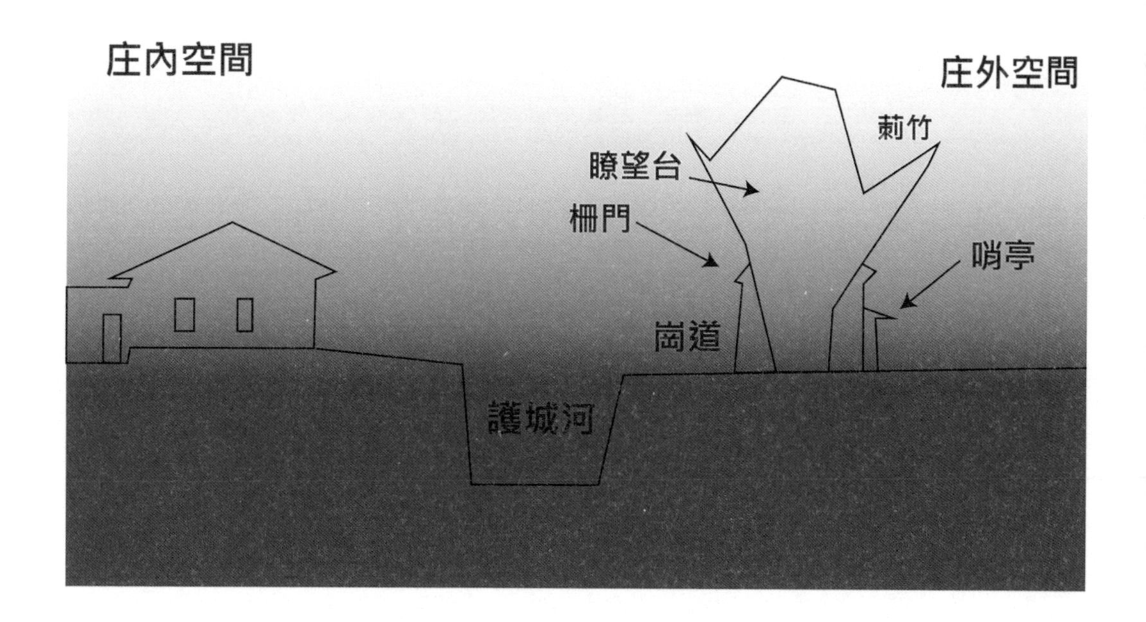

逐漸被侵入而有較多的出草（獵人頭）行動，因此在古文書上甚至出現了由日本政府出面和大茅埔一帶居民簽訂的獵殺原住民人頭的契約書，可知一直到日治中期，居住在大茅埔一帶的客家先民和山地原住民之間，仍存在著相當嚴重的衝突，直到日治後期這樣的激烈衝突才逐漸消逝。

清朝開始統治臺灣時，原是希望將漢人與原住民分開，以免相互衝突造成難以解決的事故，但到了清朝末年，為了開發臺灣的山林資源，便開始在臺灣各地靠山的地方設置撫墾局，以負責山林資源的開發事宜，如光緒13年（1887年），清政府就將「東勢角撫墾局」設置於現今東勢的文化街一帶，處理有關泰雅族生活地林木資源開發事宜，其下管轄的包括大湖、馬鞍龍、大茅埔、水長流、北港等分局，同時任命林朝棟辦理相關撫墾事務。在撫墾局的設置下，東勢地區遂成為中部山區樟腦、木材的集散中心，這也是清朝時期，東勢地區第一個由官方設立的正式機構，其辦公地點就在巧聖仙師廟內。因此，東勢街上的巧聖仙師廟至清末時，已不僅是東勢地區人民的信仰中心，也是官方機構的所在地，使得當地成為繁華一時，眾多攤商雲集的處所。

至嘉慶20年（1815年）清廷解除進入原住民地區開墾的禁令後，就使東勢一帶成為漢人得以自由移住開墾的地方，再加上嘉慶、道光年間，中部發生多次族群械鬥事件，中部各個地方的客家移民大量的移入東勢角，讓東勢一帶漸漸成為客家人的匯聚地。

大約在道光（1821～1850年）年間，在東勢地區的平埔族由於承擔過多的公差勞役，以及受到漢人經濟和文化上的壓迫，逐漸地離開東勢，大量遷移至埔里定居，將許多田園與居住地賣給漢人，漢人也逐漸掌握東勢一帶的土地所有權。其時東勢一帶的族群衝突，就從原先依靠平埔族來對抗泰雅族的形態，漸演變為以客家人對抗泰雅族的趨勢，儘管仍不時有相互殺伐的事件發生，但有些人還是採取和平的開

巧聖仙師廟。（陳介英／攝）

墾方式，因此到同治5年（1866年），東勢一帶各庄即聯合組成和番機構「金協安」，並推舉上新庄通事廖天鳳專辦和番事宜。

大茅埔在清朝開山撫番政策推行前，客籍漢人與泰雅族雙方衝突的根本原由，可以說是漢人以私人武力入侵泰雅族人原有生存空間所造成。而在此時期的入山開墾都還是屬民間自發自為的行動，但到了光緒年間政府所推行的「開山撫番」政策，則是更進一步的成為以國家集體的力量，試圖對泰雅族人的生活空間納入國家掌控的行動，其具體作法即是招撫山地原住民，使其成為清朝的臣民，而能讓政府對臺灣山林資源有更具體的掌握與開發。光緒13年（1887年），政府就在東勢匠寮街設置「東勢角撫墾局」，使得更多漢人不斷進入山地原住民生活的區域，逕行砍伐樟木以熬煮樟腦油，此一政策的推行，在劉銘傳1885年主政臺灣後就積極展開，漢人與原住民的關係更形緊張，也使得這種漢人與原住民之間的衝突殺伐關係一直持續到日治中期。

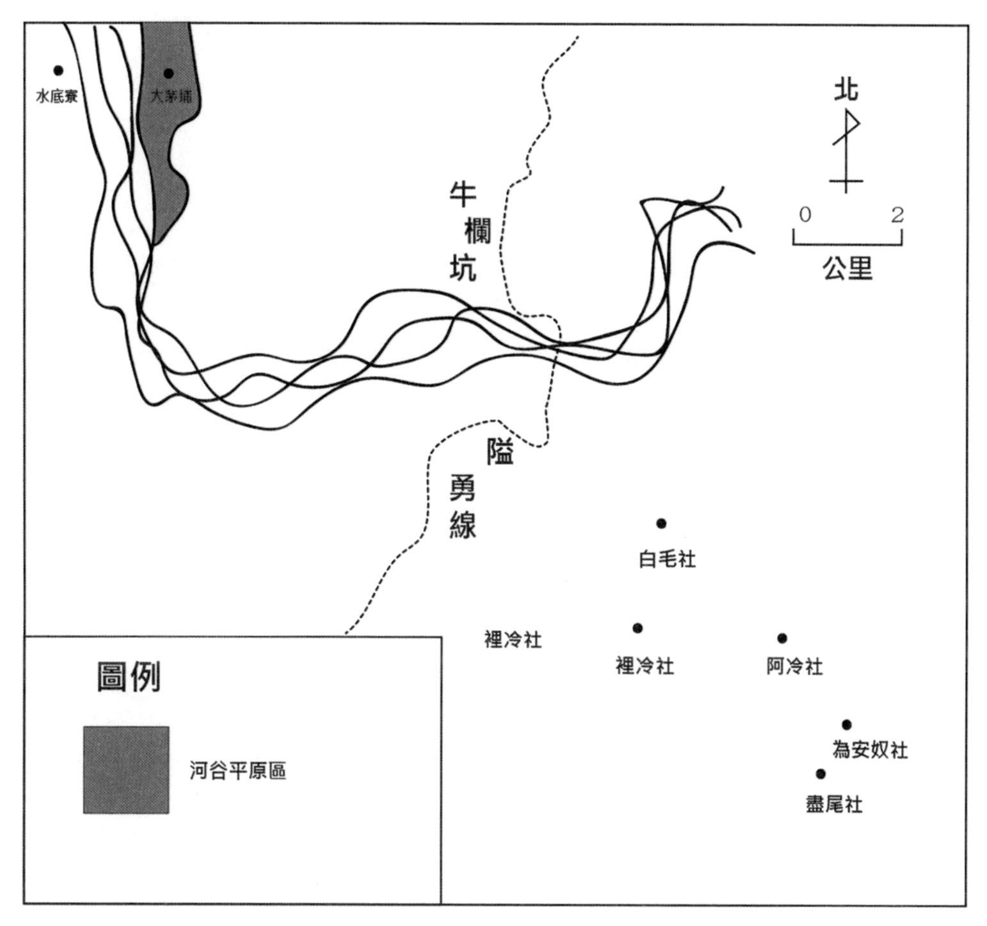


日治初期毗鄰大茅埔地方的泰雅族社群分布圖。資料來源：池永歆（2000 年），《空間、地方與鄉土：大茅埔地方的構成及其聚落的空間性》，國立臺灣師範大學地理學系博士論文，P107。

根據大茅埔庄中長者的傳述，直到日治初期，原住民出草（獵人頭）的情形還是相當嚴重，甚至有傳言稱大茅埔的庄民，就曾因有親人被殺而恨不得吃原住民的肉，也是在這樣的緊張衝突生活情境中，大茅埔庄民非常崇敬泰興宮王爺公，據說祂即曾在原住民想要從庄後屋背山，侵襲大茅埔庄時顯靈嚇跑原住民，使其落荒而逃。

從明治 37 年（1904 年）所繪製的「臺灣堡圖」中的「罩蘭」（現在的苗栗縣卓蘭鎮）、「東勢角」（現在的東勢區）、「水底寮」（位於現在新社靠大甲溪處）一帶，可見到離大茅埔庄約 4、5 公里處，有一條南北向的「牛欄坑隘勇線」，分布在高約一千公尺左右的山地稜線上，此隘勇所護衛的空間範圍，涵蓋了所有位於東勢地區河谷臺地的聚落，區隔了漢人與泰雅族南北勢群的生活空間，同時標誌著漢人和山地原住民之間所存在的衝突對立關係。

## 合作與融合

其實移民臺灣的客家先民，當他們正式進入東勢地區進行墾植之前，已有不少漢人透過懂山地原住民語的人，經由各種山產的交易來獲取利潤，其中也有不少客家人也會與平埔族人共同合作，從事山地原住民和漢人間的山產與生活物資的交易活動，如岸裡社的首任通事粵籍張達京，即是這方面事務的知名人物，雖無資料顯示其轄下從事山產交易的社丁姓名，但據推測應有不少是與他有同鄉或同屬客籍的漢人。其實張達京本身即是清朝統治臺灣後，在漢人與原住民之間扮演著雙方中介者的角色，當時張達京還娶了岸裡社潘敦的女兒，且六任妻妾都是平埔族（清朝稱其為熟番），而有「番駙馬」的稱呼，他的兒子張仕華、張鳳華、孫張肇元、張桂元等人，也都是娶平埔族為妻。

據推測當年到東勢一帶的粵籍移墾者，番、漢通婚與熟番（平埔族）變漢人的事例應不罕見，也有史料證實乾隆年間漢人藉由與熟番合作，甚至藉由收養、婚姻網絡，逐漸控制了界外土地的記載，這種番漢之間的融合與合作，我們也可以在劉中立家的「番婆嬤」神主牌的例子見到，由於當時的平埔族人奮力護衛由劉家主導的水圳開鑿，而讓劉家將其寫在神主牌上，世代加以祭拜。

其實隨著漢人逐漸在東勢角的墾植推進到大茅埔之後，漢人和原住民之間雖然時有衝突，但為了緩和原住民出草的威脅，客家族群仍以「和番」為目的，與原住民進行山產交易，如從明治 29 年（1896 年）臺灣總督府調查番產交易狀況的資料，可以看出清末山區物產交易的樣態，以大茅埔庄為例，清末在當地所設的撫墾分局就有捎來社、白毛社、由竿來完社等原住民前來交易，後來因乙未年（1895 年）發生抗拒日本接收臺灣的武裝動亂，使得在其中負責交易的局員、通事紛紛逃離工作崗位，致使此種漢人與原住民交易的管道消失，大茅埔村民因害怕交易管道的杜絕會引來山地原住民的不滿，因此委託從埔里水長流分局歸來的通事邱阿古、劉投之兩人出面主導交易活動。

從交易的內容來看，其中包含鹿皮、鹿茸、鹿鞭、山羊角、山羊皮、狸骨等肉品，另外還有各種山產植物，如木耳、魚藤、苧麻、山查、木浪子，其他還有布品，如蕃裙、蕃衫等，總結來說，十九世紀客家族群在東勢一帶的經濟活動，在初期雖然是以山產買賣為主，但隨著土地的開墾，其生活的方式就逐漸轉由土地耕作為主，而「山產交易」一直持續在這些遷入原住民邊區的客家族群。其交易的方式，一度統合於社丁、隘首或通事，甚至是開山撫番時期的撫墾分局。這樣的一種交易關係，也是一種在漢人和原住民間的一種和平互惠的互動。

日本治臺後，由於實施了一連串的「理蕃政策」，所以大約到日治中後期，大茅埔庄民與泰雅族間已不再處於衝突的關係中，使得原先用以防泰雅族的各種防禦設施，如刺竹林、瞭望臺等，統統失去了作用，環繞聚落四周的刺竹林被砍除，瞭望臺也被拆除，護城河則由於同是灌溉圳道與具有庄內排水溝功能才得以保留；而控制庄內與庄外空間的隘門，因日本統治者認為大茅埔庄內的厝宅都是以茅草作為屋頂，樑柱牆壁也大都是竹木建造，為了在火災發生時，能將消防車開入庄內救火，因此把入口狹隘的西隘門與南隘門拆除，最後即連庄內最後一個隘門也被拆除，僅殘存南隘門一面用石塊砌成的堅硬牆壁；九二一地震，又將僅剩的牆壁震垮，因此到現今大茅埔庄內，已經見不到古早隘門的殘跡了。

# 第五章 Chapter 5

## 從米到果

## 不畏艱辛與順應市場的大茅埔農夫

雖然從清朝乾隆（1736～1795年）時期，即有少數漢人開始進入石崗東勢一帶進行開墾，但因為位於大甲溪旁臺地的東勢區，在當時仍缺少可大量灌溉的水源，因此起初除了種植些耐旱作物外，主要還是著眼於森林資源的攫取，特別是藤、麻與燒製火炭，如當時掌握界外山產開採權利的岸裡社，常因公務要求，而需每月向衙門運送定額的火炭。當時因公務需求的炭來源中，除了向軍工寮要求配送外，多數經由岸裡社人將鄰近的山地租給漢人去採木燒炭，例如，乾隆33年（1768年）岸裡社通事潘敦，就將界內南勢坑山的一座炭窯，租給漢人江瑞志，約定每年要繳納炭四百斛，同時從其在炭窯前後所種豆、蔗等物產中，抽取10%做為地租。

但隨著軍工匠寮在東勢的設立，以及隨後因屯墾政策而來的漢人，逐漸向當地的土地擁有者平埔族人租地開墾，同時進行水圳的開鑿，如大茅埔就在墾首張寧壽的帶領下進行開墾，也是經過水圳的開鑿，才使其成為清末與日治，以至戰後初期，一個盛產稻米的地方。然而大茅埔這樣一種以米為主的生產形態，到了民國60年之後，卻出現一個驚人的轉變，即轉型為以水果種植為主的生產形態至今，這樣的一個轉變，其實是整個東勢地區農業生產型態的共同巨大改變，使得東勢與大茅埔一帶成為臺灣少見的將良田，由種米轉而種水果的地方。

## 稻米爲主的生產

根據古文書記載，大茅埔庄在開墾初期的田地規模，到道光13年已拓墾成水田60甲，後來逐漸增加。因此，就大茅埔庄的農業發展來看，雖然初期開墾成良田的面積不大，但因為早期的居住人口不多，若以當初張寧壽先生所帶領開墾大茅埔28股人計，不管實際上是否有重複或是同為一家人的情況，可合理猜想其所開墾田園，分配到每個家戶應都至少擁有一甲以上面積的水田，但是隨著家戶人口的增長，與

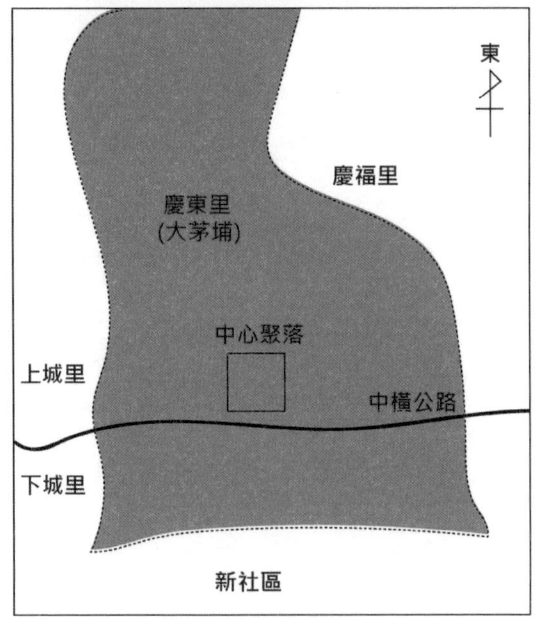


【上】【下】大茅埔位置圖。大茅埔的土地大多是山坡地，可耕種稻田的土地並不多。資料來源：黃貴財（2012），《從文化景觀脈絡因子剖希聚落紋理保存價值與管理：以大茅埔客家聚落為例》。中洲科技大學機械與自動化工程系工程技術研究所碩士班，P100。

大茅埔位置圖。大茅埔的土地大多是山坡地，可耕種稻田的土地並不多。資料來源：行政院農業委員會林務局農林航空測量所。

田產的傳承分割，每戶的可耕地應會逐漸的縮小，雖然不易找到早期大茅埔每戶所擁有田地範圍資料，但從當地的戶數與稻田耕地面積加以推估，每戶人家所擁有的田地應大都已不到 7、8 分地。

根據大茅埔當地耆老的經驗估算，一個八口之家，至少要有 4 分耕地才足以有足夠的糧食。有的田地不多的人家，有空間就將收成的米放在家裡，沒空間的就將收成的米直接放到礪米廠，要用米的時候再去跟礪米廠拿，一年下來扣掉礪米與儲存費用往往所剩無幾，或甚至還倒欠米店，而等來年收成之後再還，因此，有不少人家耕作剩餘的時間，就要去打零工或從事其他工作，而若有田地 7、8 分的話，有些家庭就自己不種田，另將田租給別人種。這種自己沒有田地，只能租別人田種植的人就稱為佃農，依照慣例，佃農需將農地總收入的五成到六成上繳為地租，有些甚至更高，以致佃農的生活都較為困苦。據當地耆老說，大茅埔就曾有一戶人家，家裡田地不多但有八個男的、六個女的人口，因此全家

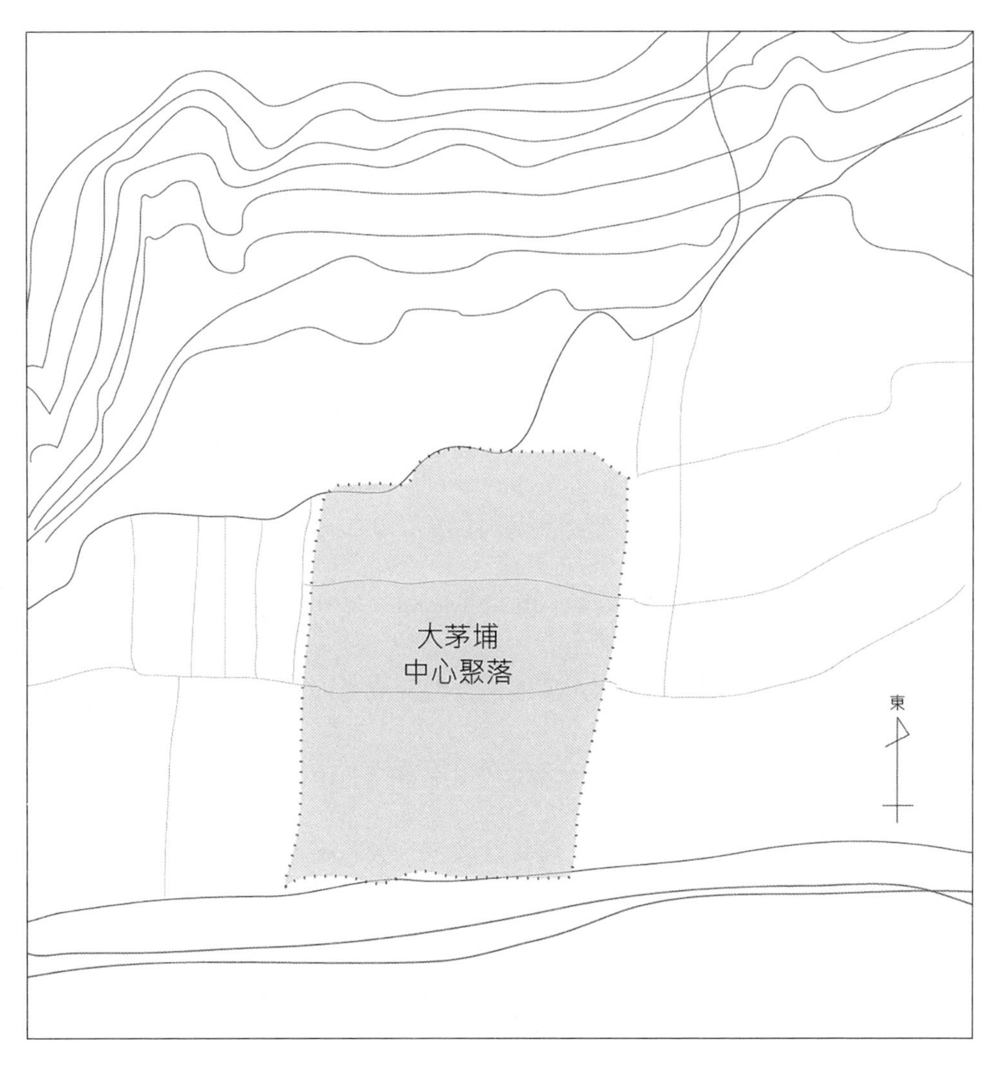


大茅埔中心聚落圖。

大茅埔在民國七十年左右，四周仍有不少稻田。資料來源：黃貴財（2012 年），《從文化景觀脈絡因子剖希聚落紋理保存價值與管理：以大茅埔客家聚落為例》。中洲科技大學機械與自動化工程系工程技術研究所碩士班，P101。

必須同心協力開墾大甲溪邊的田，一做就是1、2甲。但由於大甲溪的溪埔地很不固定，只要水勢較大，所開墾的溪邊田就可能會被流走，然而為了求得溫飽，他們仍得繼續拚命耕作；上述是有稻田人家的情形，如果只有山坡地的人家就更加辛苦了，因為山坡地雖然也可播種，但產量不能跟水田比，同樣面積的收成更低。

在耕地面積方面，總體東勢區的耕地面積，在戰後有明顯地增長，如從民國41年（1952年）不到2,000公頃，到民國70年（1981年）增加到了4,700公頃，其後就沒有增加太多。但就大茅埔所在地慶東里而言，從戰後至今大約都維持在90公頃左右的水田面積，而在山坡一帶的旱地則有較為明顯的增長，據統計顯示，東勢區水田面積所佔的比例，從民國41年（1952年）佔74%，到民國50年（1961年）達到高峰，佔了81%，之後就逐年下降，到民國92年（2003年）時，水田面積的比例已降到28%，相反的，旱田面積所佔的比例則逐年增加，從民國41年（1952年）的26%，上

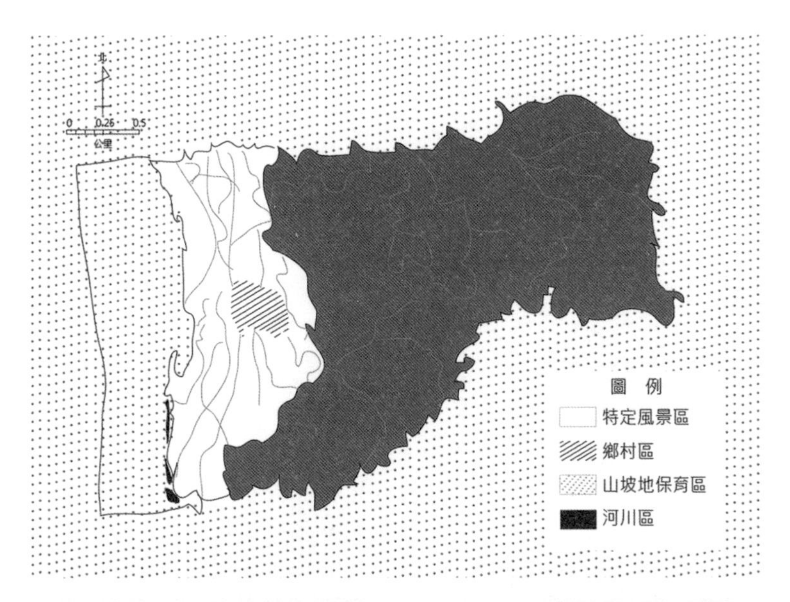

【上】大茅埔土地的分類。資料來源：臺中市東勢鎮慶東社區農村再生計畫（2013年），P35。

【下】大茅埔中心聚落圖。大茅埔在民國七十年左右期四周仍有不少稻田。資料來源：行政院農業委員會林務局農林航空測量所。

升到到民國 92 年（2003 年）的 70%以上。

這種比重的變化，從統計資料上可以看到，主要並不是由於水田面積的減少，而是由於旱田面積的增加，因為旱田所在位置大約都在高地或山坡地，它們的增加和東勢水果種植量，從戰後以來就開始逐步增加有著密切的關係。從大茅埔一帶的農田使用方式來看，至今整個大茅埔村落地區，不管是平地旱地，皆已無種植稻米的田地，所有耕地全改種水果，這種情形在東勢地區很多原是水田的地區都可以看到。因此，二次戰後的大茅埔，很明顯地存在著從以稻米生產為主，轉變到以生產水果為主的農業形態。

## 山林地的利用

東勢地區在清朝時即是臺灣樟腦的重要產地，日治時期，日本人就將樟腦列為專賣品，並在大正 9 年（1920 年）成立「臺灣製腦株式會社東勢出張所」，負責製腦業務，使東勢成為臺灣樟腦的重要集散地。根據統計，到了日治時

大茅埔邊的山林地。（陳介英／攝）

期的大正 14 年（1925 年），東勢庄所產的樟腦即佔全臺的 17.9%，而樟腦油更佔到全臺 24.0% 的比重，可見東勢一帶是臺灣樟腦油的重要產地。日本當時是全世界最大的賽璐珞（celluloid）娃娃生產國，而樟腦就是賽璐珞的主要原料，因此臺灣的樟腦對於日本的貢獻很大，日本人自 1899 年起就在臺灣施行樟腦專賣，樟腦專賣的收入，在日本統治臺灣的前 10 年，甚至占到其財政收入的 10~20%。

早期大茅埔是東勢最靠近山林資源的村落，故應該有不少人參與了樟腦熬製工作，東勢在日治時期，由於八仙山林業的開採與運輸設備建設，以及樟腦專賣事業的興盛，使得整體商業相當繁榮，成為臺灣中部山地的行政與商業中心之一，隨著戰後國民政府來臺，在財政拮据下開始開發大雪山的林木資源，東勢地區也因林業的發展而再度繁榮。如為了大雪山林業的開發，政府於民國 47 年（1958 年）在東勢街區邊緣設立了大雪山林業公司，運用大量的美援資金，以及政府希望將其建造為臺灣林業的示範工廠，故設備新穎規模

東勢林業文化園區。（陳介英／攝）

巨大，甚至號稱是當時遠東最大的木材加工廠，其全盛時期約有 1,300 位員工，其中有近 200 名正式職員，工人達千人，東勢街區戰後初期呈現一片榮景，但此工廠的美式設備並不適合加工臺灣的林木，再加上市場並不如預期，故只經營經到民國 62 年（1973 年）就結束營業。

在大雪山林木開發經營的同時，東勢一帶的山坡地，也因臺灣香蕉開始外銷日本，而使得其香蕉的種植面積，很快的從民國 41 年（1952 年）的 22.76 公頃，增加到民國 50 年（1961 年）的 545 公頃；到了民國 60 年（1971 年），更到達 650 公頃的高峰；但好景不常，後來因為負責運銷的高雄青果聯合社爆發了弊案，再加上「黃葉病」的肆虐，以及其他國家的競爭，使得東勢香蕉的種植面積急速下降；到民國 70 年（1981 年）其種植面積就只剩 16 公頃；至民國 92 年（2003 年）降至 0.86 公頃，香蕉幾乎已在東勢的農作物中消失，短短 20 幾年間，東勢區香蕉的種植，就呈現了從少量到高峰，再從高峰跌落谷底的驚人歷程，但我們也見識到東勢農民在反應環境變化上的靈活與迅捷。

相對於香蕉這種暴起暴落的種植歷程，在東勢的山坡地的利用上，柑橘可以說是至今長青的果樹，據統計，在民國41年（1952年）時其種植面積為24.8公頃；到了民國50年（1961年）增為171.22公頃；但到了民國60年（1971年）則快速的增長為900公頃；至民國70年（1981年）與民國80年（1991年），更持續的成長到1,762.25與2,054.82公頃的規模；直到民國92年（2003年）才回降到1,154.98公頃，因此，可以說東勢一帶的山坡地，自戰後以來就成為水果，特別是柑橘的主要生產地，而當時大茅埔的山坡地則主要是種植椪柑。

從水田變果園的大茅埔農業生產結構，原本自建庄以來都是以稻米的生產為主，但是到了戰後便從稻米為主的農業生產體系，轉變為以水果為主的生產體系，這樣的變化，其實也是整個東勢地區的趨勢。我們以可見的統計數字來看，整個東勢地區的耕地在民國41年（1952年）是以稻米為主，

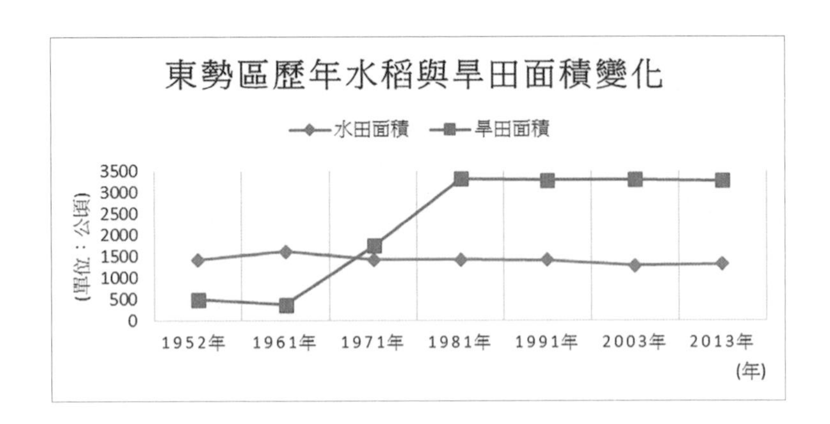


農作耕作面積變化的曲線圖。資料來源：臺中市東勢區公所。

其面積占所有耕作面積的比重達到 81.5%，而在此時東勢地區的果樹種植僅有 81 公頃，只占總體耕地面積的 2.7%。但漸漸的到了民國 50 年（1961 年），其稻米的種植面積大小雖然稍有降低，如從民國 41 年（1952 年）的 2,450 公頃降為 2,335 公頃，但是其比重則已降至 49.8%，不到總耕地面積的一半。相對的，果樹所占的面積大小與比重都開始顯著的攀升，其面積由民國 41 年（1952 年）的 81 公頃上升到 721 公頃，比重則是上升到 15.4%。

到了民國 60 年（1971 年）東勢的稻米種植面積所占比重，雖然一度回升到 55.1%，但其耕作面積卻仍在微幅下跌，降至 2,191 公頃，而此時的水果種植面積，已開始突飛猛進，

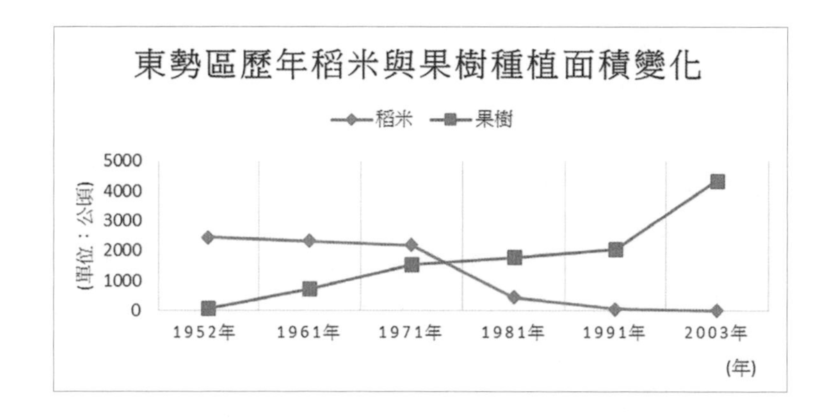


稻米與水果種植面積的曲線圖。資料來源：臺中市東勢區公所

從民國50年（1961年）的721公頃上升到1,550公頃。而更明顯的變化就發生在往後的10年，如到了民國70年（1981年），東勢一帶的稻米耕作面積就劇降為461公頃，只占19.4%，但此時東勢地區水果的種植面積，已達1,778公頃，占了74.9%的比重。至此時米消果長的發展趨勢並沒有減緩，因為到了民國92年（2003年），東勢地區的稻米耕作面積已僅剩6公頃，只占0.1%的比重，而相對的水果種植面積已達4,351公頃，占了99.5%的比重。東勢地區在戰後的農業生產結構上所發生的由米到果變化，在大茅埔也類似，據居民的回憶，到了民國90年以後，當地也已無稻田，到處是果園。

僅剩果園的大茅埔。（陳介英／攝）

大茅埔庄在戰後初期，在民國 40 ～ 50 年左右，稻米的種植還是當地有水田農人其主要農耕作物，據當地耆老表示，在他們小時候大茅埔還有很多水牛，估計最少也有二十多頭，當時這裡大約有七百多戶人家種植稻田，需要水牛耕田，大部份田地小的家庭不會自己養牛，於是就會請人幫忙用牛耕田，這裡的人擁有的田地也不大，有一甲水田的並不多，後來有些人雖然從大茅埔外移出去到外面住，但他們的田地大都還留在原鄉，以這裡的習慣來說，田地若不種要賣人，也多是賣給當地人比較多，賣給外地人的很少；至於水果，當地耆老也表示，早些時候慶東里椪柑最多，在還是以種稻為主的時候，山上都已種橘子了，相較於當時的米價，橘子兩斤到三斤大概有女工一天的工資，收益比種稻還好。

類似於東勢整個地區從米到果的農業結構轉變，大茅埔在民國 50 幾年就有人開始轉作水果，起初有人經朋友介紹開始在稻田裡種葡萄，後來發現在稻田裡種葡萄的收益比種米好，剛開始時 2 串葡萄就可等同當時女工一天工資，在此收益的吸引下，漸漸有人就把稻田轉種葡萄，而這種轉變都是漸進的，比如原來家裡有四分地，就先轉作一分地，發現可行，然後二分地，最後全部轉作。到後來使得大茅埔很多居民家的米變成是用買的，因為比較起來種水果比種米有利多了，到了民國 60 年以後，大茅埔本地的水田就開始漸漸消失，轉成以種水果為主。

## 水果種類的演變

大茅埔真不愧是一塊福地，除了良好的山川地形屏障，以及建庄時擘劃得井然有序且有良好防護功能之外，其土地也是很適宜耕種的良田沃土，如有耆老即言，本地種植的米，米質相當好。我們看到改種水果之後，也是種什麼都可以生長得不錯。大茅埔自從民國 60 幾年起，就漸漸地有人將稻田轉種葡萄，雖然剛開始收成很好，可惜的是沒有幾年葡萄就開始得病，且不易控制，因此就逐漸改種其他水果，有人改種枇杷、桃子、梨等，就大茅埔從稻田改種水果開始，初期改種葡萄的比較多，但同時也有人種楊桃，或種一點香蕉還有檸檬；民國 70 年之後，由於東勢中嵙地區有人研發出高接梨，那是在平地的粗梨樹枝，接上採自高山溫帶梨花苞而長成的梨，是一種由在地人草根研發而成的技術，使長大後的梨，不但巨大且擁有如高山梨般的香甜多汁。

在高接梨技術研發成功後，便快速的在東勢一帶擴散，隨處可見種植高接梨的耕地，大茅埔一帶當然也沒例外，但隨著產量逐漸擴增，導致價格下跌；在民國 80 年之後，大茅埔一帶即漸漸嘗試種來自東勢摩天嶺一代的甜柿。

戰後初期，大茅埔也有人因應著臺灣香蕉出口的黃金期，而在山上種了香蕉。據耆老回憶，當時種香蕉的人，單是挑兩擔香蕉去賣，就比在鎮公所上班一個月的薪水還要多，那時大概是民國 50 幾年的時候，在香蕉價錢很好的那段時間，有人寧可在家種香蕉而不要去公家機關上班，因為那時候鎮公所、自來水公司、警察的薪水很低，香蕉割一串就快等於在那些單位上班一個月的薪水。雖然價格這麼好，但因為那時候種椪柑的價格也不輸香蕉，因此村民就在山坡地比較平的地方種椪柑，比較高的地方種香蕉，由於香蕉每次颱風來就會倒，種多會有較大風險，因此只有在比較陡的地方，或是人力較不足的人家才種香蕉。大茅埔這裡種香蕉不像南部整批種，整批收成，這裡都是母雞帶小雞，一次只砍一部分，所以不用每一年都全部重種。

大茅埔的山坡地原是以種植椪柑為主，但是到了出現黃龍病之後，其種植面積就漸漸減少，大約到二十幾年前大茅埔就沒人種椪柑了。在椪柑之後，村民有人聽說三月桃好，就有些人家開始種三月桃，後來又漸漸改成種高接梨與甜柿，還有一些人種茂谷柑。現在大茅埔主要是以水梨和甜柿為主，但因為高接梨不好照顧且成本高，風險也越來越大，所以有可能會有不少人轉為種植茂谷柑與甜柿。以下針對大茅埔一帶，其主要種植水果的起源做一些簡單的介紹。

## 香蕉

據研究，東勢香蕉在民國50至60年代（1960～1970年），生產達到高峰，當年擁有一公頃蕉園的農夫，一年的收入約十萬元，相較於當時公務人員一年才大約六千元的薪水，高出十幾倍，可見當年種植香蕉的蕉農收入有多好。當

香蕉圖。（陳介英／攝）

時的香蕉價格到底多高？有人回憶，當時只要六株香蕉的收成，就足夠做一套上等英國進口西裝。當年的這種香蕉價格，現在種一百株也換不到，簡直天差地別。因此，當時東勢農民雖然還是以水稻種植為主，但香蕉一度成為東勢農民用以改善家裡經濟的農產品。

臺灣香蕉外銷日本，也為當時擁有一定出口量的東勢地區農家帶來相當可觀的收益，使得東勢街上更加熱鬧起來，酒家、茶室一家接一家開，當地人回憶指出，當年蕉農身上穿著沾染香蕉汁的工作服，雖然骯髒但卻被視為有錢的象徵，衣服上的香蕉汁越多，表示種植的香蕉園越多，代表越有錢。酒家女、茶孃見到蕉農均蜂擁而上，忙著為蕉農點菸、奉茶，反而冷落了西裝筆挺的紳士、地主，由於蕉農給小費大方，多金又愛付現金，因此當其出入娛樂場所時前呼後擁，聲勢浩大，甚是風光，故也就出現了此種描寫當時景況的諺語：

芎蕉出苞髀連髀，

三日二日割一期；

錢多唔驚米恁貴，

莫怪阿哥討細姨。

從中反映了當年香蕉在東勢所造成繁榮景況。

## 椪柑

據研究，東勢柑橘興起於民國32年（1943年），是由日人小田引進種植並帶動風潮，黃德福先生指導栽培技術。戰後臺灣人接手日治時日本財團經營的農場，並研發新技術，後經農業改良場的輔導支援，造就了東勢椪柑產業的興起。當時有很多農民在山坡地帶栽種椪柑，再加上農會輔導產銷班的成立，協助指導生產技術，使柑橘產業得以蓬勃發展。後由於技術的改良，施肥、管理，病蟲害防治等已達一定的水準，因此品質十分優良，使東勢椪柑在海內外市場轟動一時。

椪柑圖。（李雨芩／攝）

## 高接梨

高接梨的名稱，是源自它剛被研發出來時，人家問張榕生先生這叫什麼梨？他也不知道怎麼講，原本就是「新世紀」、「二十世紀」的梨穗所嫁接而來，他想高處接的梨子，所以叫「高接梨」，也一直為大家所慣稱，但有人認為應該稱「寄接梨」，因為它的花苞是寄接在非原生的植株上，並非是一種新的梨品種，水果品種其實是看它是來自哪一種梨樹的花苞而定，所以應該稱寄接梨，其寄（嫁）接的花苞，主要是來自日本的溫帶梨品種，如豐水、幸水和新興梨等。

## 高接梨

東勢地區的高接梨，是由當時身為老師的張榕生先生，和一些志同道合的朋友，如張光山、張順鈔、劉俊男、張長煌、張進財等人所共同研發而推廣起來。他們在民國 63 年（1974 年）開始嘗試以溫帶梨穗嫁接在本地的橫山梨樹上，後來發現接穗後長成的溫帶梨品質非常好。由於比梨山的溫帶梨還大很多，且一樣的甜美多汁，故當時一斤最高曾賣到二百多元的價格。透過張榕生和他的研究夥伴們，以及後續許多人持續的努力，在民國 65 年（1976 年）到民國 70 年（1981 年）的不斷研究與試驗的過程中，期間只要一有心得或成果，就毫不保留的提供給果農同業，因此帶動了東勢地區高接梨的蓬勃發展。由於高接梨嫁接技術的成功，使得低海拔的東勢地區；在民國 70 年（1981 年）之後，能普遍的生產溫帶水梨，透過梨穗的冷藏保存，產期與梨山的溫帶梨錯開，使兩者避免了相互的比價競爭的情形發生，此一高接

【上】高接梨樹近拍圖。（林俐均／攝）
【下】高接梨樹遠拍圖。（林俐均／攝）

梨的研發成果，為東勢與其往北一帶，如卓蘭、大湖等地區的果農帶來不少財富。

由於高接梨很受市場的歡迎，使其自 1980 年之後，一直是東勢地區栽種最廣的水果。因為它是一種熱帶果樹和溫帶水果的接合品，所以在嫁接技術及病蟲害防治上，需要有很多配套的行業，因此帶動了東勢地區許多相關行業的發展，如農藥、肥料行、資材工廠、販賣店、點心業、便當店等。更由於它的種植遍及整個東勢地區，連帶影響地方經濟的繁榮，果樹嫁接原是需要嫻熟的師傅工，但為了因應大量嫁接的需求，故後來連普通工人，甚至農村婦女也能擔任嫁接工作，為了嫁接工作順利進行的需要，有人開始改良傳統接刀為安全接刀，不但安全且效率提高許多。另外原先老舊的木梯、鐵梯，也由於時間成本與管理的需求，而開始改用輕又可以伸縮的鋁梯。高接梨的產量暴增，也使東勢街上興起了許多農機行、資材器具行，這些商行所經銷的貨品，提供農民在高接梨甚至其他水果種植與運輸上的便利。

但是東勢的高接梨經過數十年的發展後，其不利的地方也漸漸顯現，首先是投入的人工成本過高，如從接穗前的施肥、整枝開始，到授粉、梳果、套袋、採收，需要很長的勞力投入。成長期間還要隨時預防病蟲害、調理土壤，呵護其成長，如一疏忽或是颱風就可能讓一年的辛苦白費，加上梨穗的價格昂貴，造成其他成本都一併提高，因此，雖然高接梨產業在大茅埔尚維持著一定的種植面積，但有越來越多的果農，開始選擇轉變成種植成本相對比較不高的甜柿、茂谷柑等水果。

## 甜柿

甜柿引進臺灣，據說是在日治時期的昭和 5 年（1930 年），由前臺北帝國大學自日本興津試驗場引進，但當時似乎並沒有普遍推廣，直到民國 47 年（1958 年），臺中農學院為配合山地園藝事業發展，才由日本引進「富有」及「次郎」等品種在中部山區果園試種。東勢地區甜柿的栽種，

**著果**

在甜柿的栽種上，我們可見到一種如高接梨般的草根研發精神，如為了克服甜柿種植時常會遇到的過早落果的問題，黃清海先生仿效澀柿的環割（在柿子樹基部作環狀斷水），使樹勢減弱，促進果實結果，因此造成了增進甜柿著果技術的大突破。

### 柿子與酒

柿子（一般是指澀柿）不能和酒一起吃的原因，是因為以前人種柿子會採用鹼粉油催熟加以脫澀，鹼和酒同時食用會中毒。甜柿則因成熟後即會自動脫澀，不需加鹼粉油脫澀，故和酒一起吃不會中毒，事實上，近年來澀柿一般也不採用加鹼粉油方式脫澀，而是採用石灰石浸泡或其他方式脫澀。

最早是始於黃清海先生，他在民國 50 ～ 60 年代（1970 ～ 1980 年），因其種植的香蕉、澀柿等果樹逐漸老化，在想改種橫山梨之際，聽說梨山地區有人栽種一種不澀的柿子，引起了他的興趣，經輾轉打聽到石岡有人種植，於是他向那人要了一根枝條，嫁接在自己園中的澀柿子樹，即因此開啟了摩天嶺（現臺中市和平區）甜柿的栽培歷史。儘管民國 63 年（1974 年），黃清海及其友人徐銘雄，終於在亞熱帶氣候的臺灣試種甜柿成功，也經過努力而克服了甜柿常有落果的現象，但由於傳統觀念認為柿子與酒相剋，因此限制了消費者對甜柿的接受度，使得剛推出時甜柿不但銷路差，價格也不高，故果農並不願意栽培。

且由於甜柿剛推出時，摩天嶺種植的桶柑在市場上價格好，供不應求，因此也使農民種植甜柿的意願不高，只有少數農民願意在桶柑中間插種甜柿。後來因為摩天嶺的桶柑得黃龍病大量枯死，才有較多農民開始轉種甜柿。黃清海先生與當地農民在民國 76 年（1987 年）成立「甜柿產銷研究班」，此後甜柿的產量逐漸增加，為了拓展甜柿的消費市場，他們在全省舉辦多次試吃活動，在試吃會上為了打破一般人對柿子不能和酒一起吃的傳統觀念，當場吃甜柿配美酒，才漸漸地改變了這樣的觀念，如今在大茅埔一帶，隨著高接梨的成本與風險逐漸高漲，當地也已有越來越多的人種植甜柿。

甜柿圖。（林俐均／攝）

位於東勢區的大茅埔庄，除了開墾出不少土地肥沃的水田之外，由於此地比較靠近山區，因此自清朝以來即是開採豐富山林資源的必經之路，只是其附近的山林資源經過的開採，以及大眾對於越來越稀少林木資源的珍視，使得政府放棄對山林自然資源的開採，到了戰後，山林資源被禁止開採，其水田背後的山坡地，卻逐漸地從經濟效益低落的農業用地一躍而起，成為水果種植的重要產地。從香蕉到椪柑，再到高接梨及高價甜柿，這種大量種植水果的趨勢，甚至使原來種稻的良田，也在這些高價水果的種植風潮帶動下，出現了由米到果的全面性轉變，使得至今的大茅埔，就農作物而言，已不是優質米的生產之地，而是優質水果的生產之鄉。

# 第六章 Chapter 6

# 新住民村

## 國際化的客家村落

大茅埔隨著時代的前進，從清朝到日治時期再到民國，歷經了快 200 年的歲月，其所處的自然景觀，已因大甲溪流域山林與水力資源的開發而有所改變，戰後中部橫貫公路的開通也帶來了車流與人潮，雖然造就東勢與大茅埔一帶經濟上的繁榮，但同時帶來一些生活上的不便，如假日經常會造成道路阻塞。隨著臺灣經濟的發展，人口都有朝都市集中的現象，大茅埔庄到了民國 70 年（1980 年）以後，也從人口高峰逐年減少，尤其是人口的組成上開始出現一個明顯地變化，有越來越多不同國籍的新住民加入。由於大茅埔居民都是緊鄰而居，各家各戶生活場域相當集中，新住民很快就成為引人注目的一群新人，她們的到來默默帶動了大茅埔的改變，如帶來擁有不同文化習慣與血緣背景的新生代，相信未來大茅埔應該會在人口與文化的發展上產生更多的變化。

## 居住人口與交通的變遷

日治時期，有資料顯示人口呈現緩慢增加的趨勢，從明治末年的 15,137 人，增長到大正末年的 26,474 人，平均每 15 年增加約 5,000 人，比附近的石岡、新社成長更加迅速。日治時期東勢地區的統計資料來看，大茅埔在明治 38 年（1905 年）的人口並不多，只有 1,110 人，只比石壁坑的 602 人多，和校栗埔的 1,283 人相距不大，但到了明治 44 年（1911 年），大茅埔人口增長就快了一些，已有 1,361 人，超越校栗埔的 1,337 人；大正 9 年（1920 年），大茅埔的人口增速有稍微加快，已成長至 1,872 人，漸漸接近石圍牆庄 2,028 人的規模；至大正 14 年（1925 年），大茅埔的人口已快速增長到 2,246 人，成為在東勢一帶，人口僅次於東勢街、新伯公的聚落。

從統計數字上，我們可以看到大茅埔在日治時期的人口，占整個東勢地區人口數 10% 左右的份量，到了日治後期的昭和 14 年（1939 年），人口數到達了 2,613 人，占東勢地區人口的 10.42%，但是自民國 39 年（1950 年）至民國 101 年（2012 年），可見到其人口數占東勢區的比重，就一路從 6.4% 跌到 4.27%，表示在戰後，大茅埔的人口增長，相較於戰前已趨緩，雖然在民國 69 年（1980 年）人口數一度增長到 3,030 人，但在東勢區所占比重也只有 5.05%。臺灣社會自民國 100 年（2011 年）以後，逐漸顯現的人口老化及少子化現象，在大茅埔也明顯可見，如民國 107 年（2018 年）9 月，大茅埔的人口僅剩 2,130 人，此時其戶數為 706 戶，若將其人口數和戶數相除，可發現平均每戶人口大約只有 3 人左右。

東勢與大茅埔一帶的人口增長，主要是從日治時期開始，一直延續到民國 70 年（1980 年）左右，才漸漸開始減少，何以在日治時期產生人口增長的現象，乃由於東勢地區林木資源豐盛，日治政府進行林木開發與運送需要很多人力，使得人口持續增長；東勢是個依山靠河的城鎮，最主要的溪流大甲溪，在清朝時期主要是以渡船作為溪兩岸居民往來通行

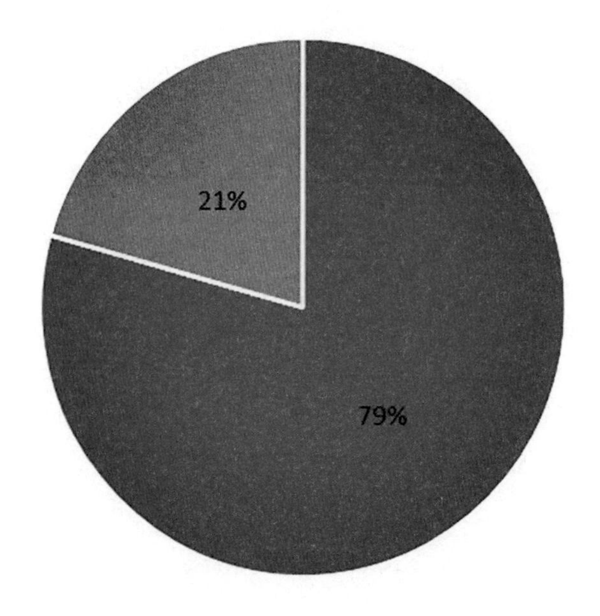


2018 年 9 月東勢區慶東里老齡化比例圖。資料來源：臺中市政府網站，http://demographics.taichung.gov.tw/Demographic/Web/Report01.aspx?DIST=10

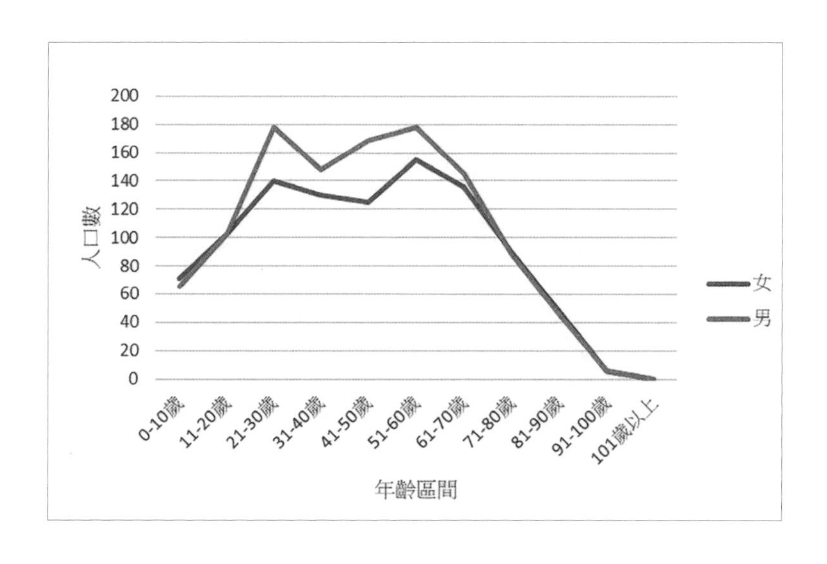


2018 年 09 月份東勢區慶東里各年齡人口數示意圖。資料來源：臺中市政府網站，http://demographics.taichung.gov.tw/Demographic/Web/Report01.aspx?DIST=10

的方式，到了日治時期，由於大甲溪經歷洪水氾濫、河面加寬的變遷，河水變淺後已無法行船，居民來往大甲溪兩岸改搭竹橋通行，但因竹橋不穩固，一有洪水就容易被沖毀造成交通中斷，造成交通不便利，一直要到昭和 10 年（1935 年）東勢大橋完工，才使得東勢對外交通日漸完善，也有臺中青鐵株式會社經營的自土牛、東勢、新伯公、大茅埔到楓樹腳的鐵道路線。

戰後中部橫貫公路的開通，也對東勢與大茅埔的交通產生很大影響，政府當年結合部分從大陸撤退來臺的退伍軍人，於民國 45 年（1956 年）成立「橫貫公路工程總處」負責整個工程的進行；到民國 49 年（1960 年）4 月全線完工通車，中部橫貫公路，是從當時的臺中縣東勢鎮往東，經和平、谷關、達見與梨山，進入花蓮縣後再經關原、天祥，直到太魯閣為止，全程 192.78 公里，全線通車後，從臺中到花蓮，就不需要再繞經臺北、宜蘭，或經由高雄、臺東，大大縮短了臺灣西岸到東岸的交通距離，在交通運輸上有很高的價值，對處於深山的梨山一帶水果產業開發，提供往外行銷的便利通道，在中橫公路未興築前，梨山地區的水果只能用人挑到達見，再由達見通往東勢，相當不便。

因為中橫公路沿線所經路線大多屬國有林地，其中包括大甲溪及棲蘭山林區，紅檜、扁柏等林業資源豐富，中橫公路開通後，對於森林砍伐事業及造林，乃至後期的溫帶水果、高山茶葉與高山蔬菜等事業的發達，均有相當大的幫助，加上谷關、達見、梨山、大禹嶺、天祥、太魯閣等地天然景觀美不勝收，也成為國際性的觀光路線，吸引許多各國的觀光客。

## 兩次大地震的襲擊

東勢大茅埔一帶，在百年之間歷經了兩次大地震的襲擊，一次是發生在昭和 10 年（1935 年）的 4 月 21 日，臺灣中部發生芮氏規模 7.1 的地震，震央在現今苗栗鯉魚潭水庫及關刀山一帶，受害面積達 315 平方公里，主要災區為新竹及臺中兩州，災情最慘重的地區有新竹州的竹東、竹南、苗

**九二一大地震**

民國 88 年（1999 年）臺灣發生芮氏規模 6.7 的九二一大地震，東勢鎮災情慘重，震後大茅埔停水、停電多時，加上電話不通，當時無法求證，數日後泰興宮前主委徐文政先生親自造訪，才知道大茅埔六百戶人家共三千餘人，竟無一人罹難，他相信是村莊的泰興宮三山國王暨眾神，神威護佑的神蹟展現。

栗、大湖各郡，與臺中州的東勢、豐原、大甲各郡，加上震源僅在地表下 10 公里處，餘震頻繁使災情相當嚴重，一般稱為關刀山地震、后里大地震或墩仔腳大地震，此地震造成新竹州及臺中州（約今新竹縣市、苗栗縣、臺中縣市）3,279 人死亡，11,976 人受傷，房屋全倒達 17,907 戶，半倒則有 36,781 戶，共 5 萬 4 千多棟房屋倒塌，而當時東勢郡的死亡人數為 28 人，受傷人數為 250 人，不過大茅埔當時所受影響較小，損害並不大，主要的災情以卓蘭和后里一帶較嚴重。

第二次的大地震，是發生在民國 88 年（1999 年）的九二一大地震，由於是中部地區「車籠埔斷層」與「大茅埔——雙冬斷層」之逆斷層錯動所造成，釋放大量能量甚至引起地面破裂，其主斷層帶約 83 公里長，東北延長約 22 公里，全長約 105 公里，也由於位在震央的大茅埔雙冬斷層向西推擠，造成車籠埔斷層的移動，上盤衝擠下盤而產生逆衝斷層，由雲林縣的桶頭，向北經過竹山、名間、中興新村、南投、草屯、霧峰，再沿著臺中盆地邊緣，經過車籠埔、太平、大坑、

東勢王朝社區倒塌
吳子鈺／攝影

豐原，過了豐原後，再向東彎七十度，轉而切過石岡，再由石岡轉向東勢及卓蘭一帶，過大甲溪、再過大安溪，斜切入卓蘭鎮的內灣，產生全長約 83 公里的強烈破壞地帶，位於其上的各種結構物幾乎都受到嚴重的破壞，直接破壞的區域，主要集中在車籠埔斷層帶裸露地區，包括埔里、中寮以及屬於震央的集集。由於震波能量聚集，也使東勢鎮在大地震中遭受到嚴重的拉扯與擠壓，造成相當嚴重的災情，但幸運地是，大茅埔的房舍倒塌情形雖然嚴重，有132間房屋全倒，115間半倒，但其死亡人數和明正里與埤頭里一樣為0人。

## 新住民的加入

從人口的變化來看，近二十年來大茅埔居住人口逐年下降，卻有一個逐漸增加的新成員，那就是外籍配偶，雖然她們是新移民，卻有越來越多的影響力，這樣的變化大約起於民國80年代（1990年），當地最早嫁進來的新娘來自泰國，後來則有印尼及越南的新娘，根據當地東華國中與成功國小老師的回憶，大茅埔新住民的學生比例，最高時曾經有到達占班級學生數五成左右的比重，最近這幾年已降至約二成的比重。

為了讓這些新住民能夠儘快學會中文，以協助她們克服生活上的不便，有地方熱心人士努力籌措資源來開設識字班，但由於文化與語言的隔閡，有的家庭的長輩或先生，不願意讓媳婦或太太出去上課學語言或參加活動，怕她們會學壞，但因為鄉下生活單調、工作辛苦，有些嫁到大茅埔庄的新住民，因為適應不良或有其他難以明說的原因離開。據當地耆老觀察，嫁到大茅埔的新住民之原鄉，可能各方面都偏屬弱勢，尤其是經濟弱勢，嫁到臺灣後，若能有錢可寄回娘家，她們應該會比較不易於受到外界的影響而走上離開的道路；若嫁來臺灣卻跟

外籍配偶參與舞蹈比賽。（李惠英／提供）

慶東里外籍配偶集會。
（李惠英／提供）

在原鄉一樣窮困，對自己家裡沒有任何幫助，那她們不辭路途遙遠的嫁到臺灣來就沒有意義了，不可否認的是，有些新住民可能別有目的才嫁到這裡，有當地人指出：曾有一個六十多歲的居民娶的外籍配偶，結婚十多年突然離開大茅埔，因為身分證拿到，錢也賺到就走了。大茅埔外籍配偶這幾年似乎逐漸減少，有人推測可能該娶的都娶了，或者因臺商越來越多到東南亞設廠，有的人就在那邊成家，這些東南亞的女孩，便漸漸不用再嫁到臺灣了。

## 外來新人的調適與融入

客家人以勤儉出名，同時食量也有名，有個諺語說：「客家人毋驚死，買鹹魚食了米」，在農業時代，米糧本就不易充足，若還買鹹魚回來吃，因為很鹹所以就會需要多吃飯以求平衡，這樣一來豈不是很快就把米吃光？當然這可能只是先人相互調侃的說法，真正的現實情況應是鹹魚好下飯，且不需要太多菜，就可讓人把飯吃飽。其實早些年做大茅埔庄的媳婦是不容易的，還有一句諺語說：「無食三斤薑，莫嫁大茅埔庄」（沒有吃三斤薑的準備，就不要嫁來大茅埔庄），大茅埔村庄早年一般人生活就是這樣：早上四、五點就要去河邊挑水，因為一天亮，有人會牽牛去泡水，水就髒了，所以要提早去挑，而且都是小孩子去挑，常會因為走路不穩搖搖晃晃，濺得整個石板路就都是水；還有一個諺語也可以看到大茅埔媳婦的辛勞：「嫁入大茅埔，做到雙頭烏」，因為天還沒亮就要沒出門工作，要工作到天黑了才會回來，女人會這樣打拚，可能也因大茅埔村庄住家密集，容易互相比較自家的媳婦，對於嫁到大茅埔的做媳婦來說，往往感受到比其他村莊還大的鄰里壓力，有外籍配偶就認為當地人對她們的評論，會讓她們覺得有被貶低、被藐視的感覺。很多人剛嫁到大茅埔時，對於大埔腔客家話一竅不通，也常使她們面臨適應上的困難，一開始只能用比的，有些外配跟婆婆會有些磨擦，但因為先生的支持，不想讓先生為難，就會儘量做好各種事情，希望能和先生互相信任與照顧。

大茅埔的新住民開始多了以後，當地居民覺得應該開些語言課程，讓這些新住民有機會學習基本的中文，使他們有辦法進行口語或文字溝通，才不會產生隔閡，因此開始向政府申請經費成立新住民班。剛開始沒有立案，後來才成立正式的家政班，正式化的時間大概是民國90年（2001年）左右，成員裡面有柬埔寨、大陸、越南、泰國、印尼等地方嫁到大茅埔的新住民，臺灣常見的一些新住民這裡大概都有了，目前最多的外籍配偶來自印尼跟越南。有的新住民的家庭並不是太有錢，除了忙家事，也要幫忙到田裡工作，有新住民回憶剛嫁過來的時候很苦，難以和其他家人溝通，對這邊的三餐也吃得不習慣，除此之外，還要幫忙一起為家庭打拚。

有些大茅埔居民想要為這些離鄉背井嫁到臺灣的新住民做點事，幫助她們融入當地社會，其中劉桂心女士就是一位非常積極投入的人士，她回憶起民國 89 年（2000 年）創立

張圭熒先生教新住民說客家話。（李惠英／提供）

外配班「媽媽教室」的動機時，說：

因為從庄頭到庄尾，看著一個個稚嫩的女孩嫁進村里，一句中文都說不好，更別提到政府機關辦事，或到診所看病需要填寫資料的事了，看了很令人心疼。我們將心比心，若自己的女兒嫁到一個陌生的國度，生活上有那麼多的障礙要面對，一定會很心疼，這也是我為甚麼要成立外配「媽媽教室」的原因。

其實初衷只是想要為她們盡一點力，萌生念頭後，劉桂心女士碰到了一個難題，因為隔壁的慶福里，當時剛好有一整條街來自泰國的新住民帶著錢跑了，讓大家對於給新住民讀書識字有點疑慮，因此對她的這種想幫助新住民識字讀書的想法，有很多的反彈甚至不理解，一開始找不到經費的時候，她就只好自己從住址、名字開始教她們。因為她的努力，

新住民學習料理臺式料理。（李惠英／提供）

村裡才慢慢有人開始接受她幫忙新住民上課這件事，但仍有部分新住民的家庭還不太能贊同，如先生有時會來媽媽教室找太太回家帶小孩，或是婆婆不讓她們出門上課，後來為了解決她們帶孩子來上課的不方便，劉女士除了會準備很多的禮物鼓勵她們來上課，還找了村裡的志工媽媽，在她們上課時幫忙她們帶孩子，讓這些年輕剛有小孩的新住民可以安心上課。

## 新住民的活力

有些新住民嫁到大茅埔之後，因為跟著家裡種水果，因此熟悉工作程序，甚至組成一群新住民工作隊，向外接果園的整理工作，當地耆老指出：現在有些新住民很熟練種植水果的各種農事，接梨子也很厲害，本地人若再懶惰一點，將來可能就沒有工作，像最近包甜柿一袋七角，她們一天可以包到三、四千袋，而且工作態度積極，早上五點天一亮就去工作了，因為動作敏捷，兩隻手不停地動，還有人最多一天可包到六千袋以上。因為錢好賺，而有時候中午也不休息，邊吃飯還邊繼續，他們五、六個人組成團隊，加上工作積極、動作俐落，有的已經被預約到明年了，有時她們也會幫業主安排工作時程，先通知要去工作的農家噴藥的時間點，現在甚至連梨子接枝都會了，有一個叫阿霞的新住民，光投資梨穗就十幾萬元，一年收成一、兩百萬元，而老公就只有開車的份，因為她頭腦動得很快，原本婆婆還有種葡萄，最後她全砍掉改種梨子。

現在大茅埔很多年輕人外出工作，雖然有的會搬到外地居住，也有很多是假日才回來，現在看起來還是老年人比較居多，很少有年輕人願意回來或留在家裡，繼續經營家裡的水果種植產業。其實未來的農業人口，隨著老一輩逐漸凋零，能繼續做的老農越來越少，願意務農的年輕人也會越來越珍貴。有當地耆老指出：「我們今天農業沒成功，主要是因為農民都很會做，但不懂得行銷。以前這個季節我會帶團去跟農民買梨子。但由於是買散的，所以農民會嫌麻煩不太想賣。我就說你在市場三十塊，我現在五十塊跟你買，買五斤就贏你在市場上賣三十斤，而且你用塑膠袋裝一裝秤一秤就好。但農民卻表示我就是不想秤，覺得那很麻煩，因此，我們會看到有的農民就是墨守成規，不會行銷，覺得直接交給盤商比較單純，但那就會不大容易賺到錢。雖然有少數家庭的年輕人願意接手種水果，但有很多是不願意的，像有家長輩八十多歲還在駕駛搬運機，因為他的兒子現在的工作還不錯，怎麼可能會願意接手。」因此，他覺得未來可能很多田、山都會荒廢掉。

嫁到大茅埔的新住民，有些非常積極想找尋除了務農之外的出路，但不太敢隨便嘗試，對於有些開創性的提議或計劃，往往會抱著遲疑的態度。像有位新住民想對外爭取計劃案，來發展一些特色產品的製作，在跟她們的好姊妹們討論之後，姊妹們都不相信有這樣的方案，經過幾次嘗試之後，最後她怕再待下去會使自己也變得沒自信心，自己向外追求發展，但還是覺得每次向政府申請計畫，經費只有那麼一點點，卻要花那麼多的時間，若只有賺一點點錢，感覺沒有成就感，她曾試圖說服其他新住民，共同來積極合作把品牌打出來，商品有自己的 Mark，希望能把品牌打到全臺灣各地，不過並沒有獲得其他人的贊同，願意一起跟她朝這方面努力。

相約郊遊活動到彰化。（李惠英／提供）

李惠英女士自製母親節蛋糕分送給慶東里的新住民們。（李惠英／提供）

儘管一起開創事業並沒有太成功，但這些新住民彼此之間還是會互相幫助，剛來的時候，新住民彼此都不熟悉，隨著時間久了，大家就會常常聚在一起交流生活與工作，形成了很強的信任感，我協助別人，別人也協助我，逐漸形成一個個小型的社區團體。

# 結語 Conclusion

# 改變沒有終點

一百多年前，一群客家先民從現今新社地區遠眺大甲溪對岸，發現了有大茅埔這樣一塊埔地，他們先請地理風水師加以探勘，再集眾開墾，這種由遠方眺望，再探勘開墾的故事，顯示大茅埔庄的建造背後，存在著順天應人，也想為後代子孫開創百年基業的前瞻性思想。

當年漢人移民到臺灣的開墾方式，很多是結合眾人之力完成，來自廣東大埔原鄉的客家人，就是揪集眾人，集成了二十八股開發基金，共同完成了大茅埔的開墾工作，在以水稻種植為主的農業生產結構下，灌溉水源的取得，是能否開墾成良田的重要關鍵，另外城堡化與棋盤化的巷道規劃也相當重要；因為水圳開鑿使其成為一個優良產米村落，而護城河與村莊隘門、刺竹和巡邏道的設置，卻是安全防禦不可或缺的建築。

這樣一個獨自面對生存威脅的聚落，宗教信仰是不可或缺的精神依靠，位於大茅埔庄中間靠東的泰興宮，供奉著三山國王，是大茅埔庄的信仰中心，也是村民所倚重的精神力量，一些流傳於村落的護庄神蹟，使村民對其崇敬有加，每年都會有三次隆重的慶典；後來為了因應戒除吸食鴉片與促進教化，村民在泰興宮的後殿，設置了以侍奉關公為主的弼教堂，直到現在，我們還可以看到村民很虔誠的按時舉辦各種祭典。

大茅埔庄最為引人注目的改變，應是它從一個以種稻為主的農業區，在民國60年以後的二十年間，漸漸轉變成以水果種植為主的農業生產地，但因為種米的收入相對於種水果比較少，加上東勢寄接梨產業的興起，雖很多原是種稻的田地都改為種植水梨，農民仍還是以農業生產為其主要收入；另一個明顯的改變是其居民的組成，因為新住民的加入，使大茅埔的新一代成員中，具有各種不同文化與血緣背景，相信未來他們應該會為大茅埔帶來更多樣的生活結構與內涵的改變。

# 附錄 Appendix

## 大事記

| 年代 | 事件 |
| --- | --- |
| 乾隆 26 年（1761 年） | • 乾隆頒定：「使生番在內，漢民在外，熟番兼隔於其中」的空間政策。 |
| 乾隆 53 年（1788 年） | • 林爽文抗清事件被平定後，官方對平亂有功之熟番社民納入屯兵體制下，屯丁授予養贍埔。 |
| 嘉慶 22 年（1816 年） | • 陸續有高君弼、邱進德、劉中立等人合夥向屯弁承墾大茅埔。 |
| 道光 2 年（1822 年） | • 以張寧壽為墾佃首的二十八股拓墾組織拓墾大茅埔。 |
| 道光 11 年（1831 年） | • 大茅埔開始通水。 |
| 道光 12 年（1832 年） | • 大茅埔開發成功。 |
| 道光 17 年（1837 年） | • 東勢老圳建築完成。 |
| 咸豐元年（1851 年） | • 泰興宮（三山國王廟）開始籌建。 |
| 咸豐 6 年（1856 年） | • 泰興宮（三山國王廟）興建落成。 |
| 光緒 32 年（1906 年） | • 創建弼教堂。 |
| 大正 14 年（1925 年） | • 大茅埔公學校創建。 |
| 昭和 10 年（1935 年） | • 關刀山大地震，又名后里大地震、清水大地震、屯仔腳大地震或墩仔腳大地震。 |
| 民國 34 年（1945 年） | • 臺灣光復。 |
| 民國 36 年（1947 年） | • 大茅埔公學校校名更改為成功國民學校。 |
| 民國 49 年（1960 年） | • 中部橫貫公路開放通車。 |
| 民國 57 年（1968 年） | • 成功國民學校校名更改為成功國民小學。 |
| 民國 59 年（1970 年） | • 設立東華國民中學。 |
| 民國 73 年（1984 年） | • 第一位外籍配偶嫁到大茅埔。 |

| 年代 | 事件 |
| --- | --- |
| 民國 88 年（1999 年） | •九二一大地震。 |
| 民國 96 年（2007 年） | •由臺中縣政府提案及行政院客家委員會補助「大茅埔聚落生活空間保存與活化先期作業計畫」。 |
| 民國 97 年（2008 年） | •行政院客家委員會提報大茅埔聚落列入全國 15 個具代表性的客家聚落「客家文化生活環境營造計畫」之一。 |
| 民國 102 年（2013 年） | •臺中市東勢鎮慶東社區農村再生計畫 |

資料來源：黃貴財（2012 年）。《從文化景觀脈絡因子剖希聚落紋理保存價值與管理：以大茅埔客家聚落為例》。中洲科技大學機械自動化工程系工程技術研究所碩士論文。

# 參考文獻 References

# 參考文獻

## 書籍

1. 池永歆，《東勢大茅埔庄的地方史：以古文書為主軸的闡釋》，臺北：博揚文化，2014 年。
2. 張圭熒、彭道衡，《大茅埔的石頭》，臺中：臺中市東勢區東社區發展協會，2015 年。
3. 黃文博，《臺灣信仰傳奇》，臺北：臺原出版社，1990 年。
4. 温振華，《清代東勢地區的土地開墾》，臺北：日知堂文化事業有限公司，1992 年。
5. 温振華，《大茅埔開發史》，豐原：臺中縣文化中心，1999 年。
6. 劉欽源，《寮下各廟宇沿革》，臺中：自費出版，2001 年。
7. 劉龍麟，《寄接梨補遺》，臺中：自費出版，2017 年。
8. 賴志彰，《防禦性聚落：大茅埔，臺中縣建築史——民宅篇》，頁 315-328，臺中：臺中縣立文化中心，1993 年。

## 期刊

1. 池永歆，〈空間、地方與鄉土：以東勢大茅埔為例的詮釋〉，《地理教育》，第 24 期（1998 年），頁 53 ～ 66。
2. 池永歆，〈大茅埔地方所呈顯的空間性：以聚落空間的構成與內涵為例的詮釋〉，《中縣文獻》，第 8 期，頁 101 ～ 170。

3. 池永歆，〈大茅埔地方的構成：空間與地方〉，《中縣文獻》，第8期（2001年），頁5～99。

4. 健雲，〈開庄闢地的先鋒部落東勢鎮的「大茅埔」〉，《臺灣月刊雙月電子報》，4月號（2008年）。

5. 張圭熒，〈「戲說大茅埔」參演記〉，《客家雜誌》，第144期（2002年），頁32。

6. 張克儉，〈農村72變系列報導之62：我的幸福小地方：臺中市東勢區大茅埔〉，《農政與農情》，第223期～第234期（2011年）。

7. 温振華，〈1990年代文史社團的鄉土關懷〉，《臺灣風物》，第66卷，第1期（2016年），頁139～152。

8. 劉敏慈，〈大茅埔，桂花巷，堅毅香〉，《新客家人群像》，第七期（2014年）。

## 會議專刊或專題研討會論文

1. 池永歆，〈空間、地方與鄉土：以東勢大茅埔為例的地理詮釋〉，地方志與鄉土教育論文集，頁1～20，1998年。

2. 池永歆，〈臺灣漢人傳統聚落空間性的構成與內涵：以大臺中東勢大茅埔為例〉，跨世紀海峽兩岸地理學術研討會論文集（下冊），1999年。

3. 羅月鳳，〈「犒將」民間祭祀活動對客家發展的意義——以臺中縣東勢鎮為例〉，中山醫學大學第一屆臺灣語文暨文化研討會，2006年。

## 碩博士論文


1. 方美珍，《應用真實情境行動學習於鄉土教學——以臺中市東勢區大茅埔庄為例》，中華大學資訊管理學系碩士論文，2014 年。
2. 池永歆，《空間，地方與鄉土：大茅埔地方的構成及其聚落的空間性》，國立臺灣師範大學地理研究所博士論文，1999 年。
3. 吳嘉貿，《寺廟、家族與東勢地區的客家社會（1683 ～ 1920 年）》，逢甲大學歷史與文物管理所碩士，2010 年。
4. 周大雅、高靜儀，《傳統民居空間觀念之傳承：大茅埔聚落之再生》，逢甲大學建築學系碩士論文。
5. 林聖蓉，《從番界政策看臺中東勢的拓墾與族群互動（1761 ～ 1901）》，國立臺灣大學歷史學研究所碩士論文，2008 年。
6. 陳曉萍，《臺中市東勢區慶東里與慶福里社區營造之探討》，國立臺中教育大學區域與社會發展學系碩士班，2014 年。
7. 梅國慶，《從安全與防禦的觀點看清代東勢角地方傳統聚落之發展》，成功大學建築研究所碩士論文，1994 年。
8. 黃貴財，《從文化景觀脈絡因子剖析聚落紋理保存價值與管理：以大茅埔客家聚落為例》。中州科技大學機械與自動化工程系工程技術研究所碩士論文，2012 年。
9. 管淑芝，《臺中市東勢區大茅埔泰興宮之研究》，玄奘大學宗教學系碩士，在職專班論文，2013 年。
10. 魏瑞伸，《客家民俗節慶的蛻變：以臺中東勢新丁粄節為例》，國立中央大學客家研究碩士在職專班。
11. 羅瑞枝，《東勢地區三山國王信仰之淵源與流變》，國立交通大學客家文化學院客家社會與文化學程碩士，2011 年。

## 研究報告

1. 池永歆，〈擬像和建構——Hakka 桐花祭〉，《「夏季學校」第九回——臺灣客家文化再現與創新研習營》，2006 年。
2. 林秀幸，〈清代東勢地區的社群互動和社會型態〉，《行政院客家委員會獎助客家學術研究計畫》，2004 年。
3. 臺中市東勢區軟埤坑休閒產業發展協會，《臺中市東勢區慶福社區農村再生計畫》，2012 年。
4. 鄭螢憶，〈混雜的山區：清代東勢角「客家」族群互動與番產交易（1700～1860 年）〉，《行政院客家委員會獎助客家學術研究計畫》，2014 年。
5. 鄭螢憶，〈熟番、傳説與家族：清代大甲溪中游的族群互動與「客家」地方社會〉，《客家委員會獎助客家學術研究計畫》，2017 年。

## 報紙

1. 江沐家，〈東勢大茅埔客家庄初接觸〉，《國立中央大學客家學院電子報》108 期，2010 年。

## 《茅埔成庄：東勢大茅埔客庄的過去與未來》


| | |
|---|---|
| 作者 | 陳介英 |
| 發行人 | 林佳龍 |
| 主編 | 王志誠（路寒袖） |
| 編輯委員 | 施純福・黃名亨・楊懿珊・林敏棋・陳素秋・林承謨 |
| 執行編輯 | 郭恬瀛・陳兆華・錢麗芳・范秀情・蔡珮芸・洪國恩<br>林俞君・張甯涵・張景森 |

| | |
|---|---|
| 出版單位 | 臺中市政府文化局 |
| 地址 | 臺中市西屯區臺灣大道三段 99 號惠中樓 8 樓 |
| 網址 | http://www.culture.taichung.gov.tw |
| 電話 | 04-2228-9111 |
| 展售處 | 五南書局／04-2226-0330／臺中市中區中山路 6 號<br>國家書店松江門市／02-2518-0207／臺北市中山區松江路 209 號 1 樓 |

| | |
|---|---|
| 編輯製作 | 遠景出版事業有限公司 |
| 負責人 | 葉麗晴 |
| 主編 | 賴雯琪 |
| 執行編輯 | 吳建衛 |
| 封面插畫 | 鄭硯允 |
| 美術設計 | 高仕宇 |
| 內文排版 | 李佩瑜 |

| | |
|---|---|
| 地址 | 新北市板橋區松柏街 65 號 5 樓 |
| 電話 | 02-2254-2899 |
| 傳真 | 02-2254-2136 |
| 劃撥戶名 | 晴光文化出版有限公司 |
| 劃撥帳號 | 19929057 |
| 總經銷 | 紅螞蟻圖書有限公司 |

| | |
|---|---|
| 初版 | 中華民國 107 年 12 月 |
| 定價 | 新臺幣 300 元 |
| GPN | 1010702356 |
| ISBN | 978-986-05-7859-1 |

國家圖書館出版品預行編目資料

茅埔成庄：東勢大茅埔客庄的過去與未來／陳介英 著
－初版－臺中市：中市文化局，
民 107.12 面； 公分．－（臺中學．2018）

ISBN 978-986-05-7859-1(平裝)

733.9/115 107021643